E A VERDADE OS LIBERTARÁ

E A VERDADE OS LIBERTARÁ

Reflexões sobre religião, política e bolsonarismo

—

RICARDO ALEXANDRE

Copyright © 2020 por Ricardo Alexandre

Os textos das referências bíblicas foram extraídos da *Nova Versão Transformadora* (NVT), da Editora Mundo Cristão (usado com permissão da Tyndale House Publishers, Inc.), salvo as seguintes indicações: *Almeida Revista e Corrigida* (RC) e *Almeida Revista e Atualizada*, 2ª ed. (RA), ambas da Sociedade Bíblica do Brasil; e *Nova Versão Internacional* (NVI), da Bíblica Inc.

Todos os direitos reservados e protegidos pela Lei 9.610, de 19/02/1998.

É expressamente proibida a reprodução total ou parcial deste livro, por quaisquer meios (eletrônicos, mecânicos, fotográficos, gravação e outros), sem prévia autorização, por escrito, da editora.

Edição
Daniel Faria

Revisão
Natália Custódio

Produção e diagramação
Felipe Marques

Colaboração
Ana Luiza Ferreira

Capa
Jonatas Belan

CIP-Brasil. Catalogação na publicação
Sindicato Nacional dos Editores de Livros, RJ

A37e

   Alexandre, Ricardo
   E a verdade os libertará : reflexões sobre religião, política e bolsonarismo / Ricardo Alexandre. - 1. ed. - São Paulo : Mundo Cristão, 2020.
   256 p. ; 21 cm.

   ISBN 978-65-86027-35-8

   1. Bolsonaro, Jair Messias, 1955-. 2. Religião e política. 3. Brasil - Política e governo. I. Título.

20-65148   CDD: 322.1
                                     CDU: 322

Categoria: Cristianismo e sociedade
1ª edição: agosto de 2020

Publicado no Brasil com todos os direitos reservados por:
Editora Mundo Cristão
Rua Antônio Carlos Tacconi, 69
São Paulo, SP, Brasil
CEP 04810-020
Telefone: (11) 2127-4147
www.mundocristao.com.br

Sumário

....

Nota dos editores	7
Antes de começar	11
1. Verdade e pós-verdade	15
2. Messianismo	23
3. O mundo	33
4. Imprensa	46
5. O governo de Deus	61
6. Paz	72
7. "Não toquem no ungido do Senhor"	82
8. Esquerda e direita	94
9. Economia	107
10. Frágeis	120
11. Religião	134
12. Domínio, poder e política	150
13. Corrupção	167
14. Profecia e propaganda	183
15. Deus e o diabo	199
16. Lobos	211
Notas	227
Sobre o autor	255

Nota dos editores

Ricardo Alexandre é um jornalista bem-sucedido. Em quase trinta anos de experiência profissional, atuou em alguns dos principais grupos de comunicação do país. Foi repórter e colunista do *Estado de S. Paulo* e diretor de redação de revistas da Abril e da Globo. É também consultor e curador de eventos culturais, além de autor de cinco livros, incluindo *Nem vem que não tem*, biografia do polêmico cantor Wilson Simonal que lhe rendeu em 2010 o prêmio Jabuti, a principal condecoração literária do Brasil.

Ricardo Alexandre é um cristão evangélico. Aos 15 anos, confessou Jesus Cristo como Senhor e Salvador em uma igreja batista de Jundiaí, e em toda a sua vida tem procurado formas de integrar sua vocação profissional e suas convicções espirituais. Atualmente, é membro da Igreja Batista Água Viva, em Vinhedo, no interior de São Paulo.

Ricardo Alexandre é, em muitos aspectos, a figura mais indicada para escrever o livro que o leitor tem em mãos.

Desde pelo menos as já famosas manifestações de junho de 2013, o Brasil se vê imerso em debates políticos cada vez mais acirrados e agressivos. As escandalosas denúncias da Operação Lava Jato, o conturbado processo de *impeachment* da presidente Dilma Rousseff, a violenta campanha eleitoral de 2018 — tudo isso, entre muitos outros episódios turbulentos, contribuiu para um ambiente de extrema polarização, em que famílias, amizades e, convém admitir, igrejas se dividiram de modo aparentemente irreconciliável. Com a ascensão de Jair Bolsonaro à presidência da República em 2019, os conflitos não só não regrediram como também se avolumaram, cenário ainda mais agravado em 2020 com a crise sanitária e econômica ocasionada pela chegada do coronavírus ao país.

Como jornalista, Ricardo Alexandre busca entender tal realidade dos pontos de vista político, econômico, social e cultural. Como cristão, contudo, o questionamento que mais incomoda seu coração é: que papel desempenhou a igreja evangélica brasileira na pavimentação dessa crise?

E a verdade os libertará reúne dezesseis reflexões sobre as conexões — algumas mais evidentes, outras nem tanto — entre o fenômeno político do bolsonarismo e uma de suas principais bases eleitorais, o movimento evangélico. Com a inquietação característica de um bom jornalista, Ricardo Alexandre investigou as raízes desse movimento bem como o desenvolvimento da figura política de Jair Bolsonaro, desde suas primeiras aparições públicas como capitão de artilharia do Exército brasileiro até sua atuação à frente do governo federal. E, com a disposição de analisar o mundo à luz da Bíblia, típica de um bom cristão, Ricardo Alexandre recorreu às Escrituras para fundamentar seus argumentos e, talvez o que haja de mais precioso neste livro, para propor novos caminhos à igreja e à sociedade brasileira.

É com grande senso de responsabilidade que a Mundo Cristão publica esta obra. Se é verdade que em suas mais de cinco décadas de serviço à igreja brasileira a editora jamais se esquivou de assuntos controversos, também é verdade que nunca houve em nosso meio tamanho acirramento de ânimos e passionalismo político. Ainda assim, como uma editora inserida na realidade brasileira e interessada na promoção do reino de Deus, não poderíamos nos furtar de contribuir com o debate público, e quem sabe futuramente novas perspectivas venham a se somar às reflexões aqui propostas.

Nossa expectativa é que *E a verdade os libertará* ajude a estabelecer diálogos entre diferentes grupos, tanto dentro quanto fora da igreja, a fim de que, a exemplo de Ricardo Alexandre, voltemos todos a sonhar com uma igreja e uma sociedade unidas em prol do bem comum.

Os editores

Antes de começar

Algumas observações importantes:

Este livro não foi escrito para convencer o leitor a pensar como eu penso. Ele foi escrito para oferecer um novo olhar à discussão pública sobre as relações entre política, religião e sociedade. É o olhar de um jornalista com uma longa estrada na imprensa e uma longa história de vínculo, amor e gratidão com a igreja cristã. Meu desejo é que algumas (quem sabe todas) as reflexões propostas aqui possam abençoar o leitor e enriquecer esse debate, que é, e precisa ser, muito maior e mais amplo.

O personagem principal deste livro não é Jair Bolsonaro. É a igreja evangélica brasileira e seu papel nesse fenômeno chamado bolsonarismo — o que inclui não apenas o uso ostensivo do nome de Deus durante sua campanha eleitoral e seu primeiro ano e meio de governo, mas também a aura religiosa conferida à figura do presidente pelos próprios evangélicos. É claro que o governo de Jair Bolsonaro vai muito além do recorte proposto por este livro, assim como o papel da igreja evangélica brasileira vai além de sua atuação político-partidária. Este livro se ocupa apenas da interseção entre esses dois universos e seus efeitos práticos na sociedade brasileira.

Não sou pastor, nem teólogo. Isso significa que minha relação com as Escrituras Sagradas é mais pedestre e prática, não tão inclinada a exercícios exegéticos complexos. Procuro usar a sabedoria bíblica como acredito que o cristão comum deve usar, para, entre outras coisas, "ler" seu papel como cidadão e formar opinião a respeito da política que se alimenta da religião e da religião que se alimenta da política.

Nessa condição de cristão comum, fiz o que recomendo a todos os cristãos comuns: procurei mestres que me ajudassem a permanecer nos trilhos consolidados por dois mil anos de interpretação da Bíblia. Gostaria de agradecer a dois deles que colaboraram na preparação, na pesquisa e na leitura dos originais: Israel Mazzacorati e Jonas Machado.

Com exceção das orientações teológicas, não usei nenhuma fonte primária durante a apuração. Tudo o que está no livro é de acesso público, e nos raros casos privados que conto tive o cuidado de preservar o anonimato dos personagens. Recomendo ao leitor que confira pessoalmente nas notas no fim do livro as fontes consultadas para entender melhor o contexto de cada dado ou declaração e formar sua própria opinião sobre os assuntos tratados.

O livro fará referência a teólogos de diferentes vertentes, e também a personalidades mais ligadas à direita e outras mais à esquerda do espectro político. Foi uma decisão intencional, para nos lembrarmos de discutir ideias, e não pessoas. Boas pessoas podem ter convicções erradas sobre alguns assuntos, e pessoas desorientadas podem ter raciocínios brilhantes sobre temas específicos. Desqualificar os oponentes ideológicos como se fossem "inimigos da pátria" ou de Deus é um truque de regimes autoritários. Este livro é uma pequena contribuição para tentar mudar essa mentalidade.

Embora mencione em vários momentos do texto "a igreja evangélica brasileira", estou plenamente ciente de que não se trata de um movimento único, homogêneo. As comunidades evangélicas são multifacetadas, não raro antagônicas, e organizam-se de formas tão diversas que acabam estabelecendo entre si diferenças tão grandes quanto em relação aos católicos romanos ou a outras religiões.

Entendo que alguns leitores tenham mais interesse em alguns capítulos que em outros. De fato, cada capítulo aborda, de um diferente ângulo, algum tema ligado a religião, política e bolsonarismo. A ideia era fugir do formato "histórico" e tentar respeitar a complexidade de cada assunto. Mas recomendo que o leitor vença a tentação de ler o livro desordenadamente e atravesse suas páginas como em uma narrativa completa, em que as informações, os personagens e as reflexões vão se somando e construindo um caleidoscópio do Brasil evangélico de nosso tempo e sua relação com o poder público.

Este livro foi pesquisado e rascunhado entre 2018 e 2020 e escrito entre janeiro e maio de 2020, especialmente durante o isolamento social provocado pela crise do coronavírus. Quando digitei as últimas palavras, Sergio Moro, até então o ministro mais popular da equipe de Bolsonaro, havia apresentado sua carta de demissão. As pesquisas mostravam que, apesar do aumento na taxa de reprovação, o grupo de brasileiros que considerava seu governo ótimo/bom continuava petrificado na faixa dos 25-30%. Fielmente, religiosamente. É um fenômeno muito particular que, em parte, explica a razão de ser deste livro.

Agradeço a André Daniel Reike e Gutierres Fernandes Siqueira pela ajuda nos capítulos "Religião" e "Domínio, poder e política". A Edimilson Marques, que colocou seus conhecimentos em História e Economia nas leituras críticas de todos os manuscritos.

E, sempre, a Ana Paula, pelo incentivo, pelas orações, pelas críticas precisas, por alguns *insights* valiosíssimos que compartilhou comigo e, especialmente, pela parceria no caminho da vida.

RICARDO ALEXANDRE
Maio de 2020

1
Verdade e pós-verdade

Então conhecerão a verdade, e a verdade os libertará.

JOÃO 8.32

A verdade é um valor universal. Isso significa que não houve nem provavelmente haverá na história alguém que declarasse abertamente preferir a mentira à verdade, a infidelidade à fidelidade, o falso ao legítimo. É uma daquelas coisas que o escritor anglicano C.S. Lewis incluiria na "Lei da Natureza Humana".[1]

Defender a verdade não chega a ser uma causa muito distintiva — justamente porque não se espera que apareça alguém para debater em favor do outro lado. Assim, defender a verdade, enquanto conceito, não quer dizer muita coisa. A questão é *conhecer* a verdade. Ou, como perguntou Pôncio Pilatos durante o interrogatório que condenou Jesus à cruz: "Que é a verdade?" (Jo 18.38)

Um versículo bíblico entrou no ambiente político durante a campanha presidencial de 2018: "E conhecereis a verdade, e a verdade vos libertará". É um trecho de um debate entre Jesus e os religiosos de sua época, no pátio do templo de Jerusalém. O então candidato Jair Bolsonaro usou o versículo em praticamente todas as entrevistas que concedeu ao longo da campanha bem como depois de eleito, em geral quando compartilhava versões diferentes de fatos divulgados pela mídia tradicional.

Embora um versículo da Bíblia constituísse claramente um aceno aos muitos evangélicos e conservadores que formaram sua base eleitoral, o uso que Bolsonaro faz desse texto não é religioso. Nele, o político está se apresentando como porta-voz da *verdadeira* verdade, da única versão digna de credibilidade. Em setembro de 2019, por exemplo, na 74ª Assembleia Geral das Nações Unidas, em Nova York, diante de uma plateia de líderes internacionais, o presidente atacou, genericamente, "um ou outro país que embarcou nas mentiras da mídia" e criticou a imprensa "comprada" pelos "presidentes socialistas" que o antecederam, os jornais que "mentirosamente" noticiavam queimadas na Amazônia, a "ideologia" que teria se instalado "no terreno da cultura, da educação e da mídia, dominando meios de comunicação, universidades e escolas" no Brasil. E, depois de todos os ataques, nos segundos finais de seu discurso, arrematou com o já famoso versículo bíblico: "E conhecereis a verdade, e a verdade vos libertará".[2]

É o mesmo uso que já havia feito durante fala em uma sessão plenária do Congresso brasileiro em maio de 2016. Na época, Bolsonaro sofria uma ameaça de cassação de seu mandato como deputado federal. Ele havia dedicado seu voto de *impeachment* contra a presidente Dilma Rousseff ao coronel Carlos Alberto Brilhante Ustra, o primeiro militar brasileiro condenado como torturador. Dilma foi torturada nos primeiros anos da década de 1970 e conta ter sido ameaçada de morte pelo coronel. Em 2016, Bolsonaro votou em favor do *impeachment* da petista "pela memória do coronel Ustra, o pavor de Dilma Rousseff". A seccional do Rio de Janeiro da Ordem dos Advogados do Brasil considerou aquilo "apologia à tortura" e anunciou que encaminharia ao Supremo Tribunal Federal um pedido de cassação de seu mandato.[3] Houve manifestações tanto de repúdio quanto de apoio ao deputado, então ligado ao Partido Social Cristão (PSC). Alguns dias depois, em fala na Câmara, Bolsonaro citaria o versículo: "Obviamente que a verdade é Jesus, é Cristo. [...] Tenho usado muito esta tribuna, e a minha munição é a verdade, o que incomoda muita gente. Quero, neste momento, agradecer a manifestação de apoio que tive em várias cidades do Brasil, em especial no Rio de Janeiro, onde mais de trezentas pessoas compareceram em meu condomínio apoiando as nossas verdades. A verdade nos libertará".[4]

De fato, nos Evangelhos, Jesus se define como "a verdade". O contexto de João 8, porém, é diferente do que sugere Bolsonaro. Jesus está no pátio do templo, local de grande trânsito de judeus, falando "ao povo" e debatendo com os "fariseus e mestres da lei". Os religiosos questionavam a autoridade do testemunho de Jesus, por fazer "declarações a respeito de si mesmo", por se declarar o filho de Deus, "a luz do mundo", alguém que veio "lá de cima" e que não pertencia "a este mundo". Cada vez mais irritados, os fariseus chegam à pergunta que desde o início queriam fazer: "Quem é você?" (Jo 8.25).

Neste ponto, Jesus começa um raciocínio que aparece diversas vezes nos Evangelhos: aquele que é seu discípulo sabe quem ele é. Quem é sua ovelha o segue, porque o reconhece (Jo 10.4), e quem ama a verdade ouve sua voz (Jo 18.37). Em geral, quando se expressava desse modo, Jesus estava diante de alguma autoridade religiosa. Daí a afirmação que antecede o já famoso versículo: "Vocês são verdadeiramente meus discípulos se permanecerem fiéis a meus ensinamentos", concluindo: "Então conhecerão a verdade, e a verdade os libertará" (Jo 8.31).

A resposta dos fariseus veio em forma de outra pergunta: "Nunca fomos escravos de ninguém. O que quer dizer com

'Vocês serão libertos'?". Jesus esclarece que o pecado é que os escravizava. Afirma que, embora se dissessem filhos de Deus, aqueles homens queriam matá-lo porque não entendiam sua mensagem. "Por que vocês não entendem o que eu digo?", pergunta Jesus, de forma retórica. A resposta ele próprio oferece na sequência: "É por que nem sequer conseguem me ouvir" (Jo 8.33-43).

Jesus aqui está confrontando, com palavras severas, os religiosos reconhecidos pela sociedade de seu tempo. A sequência do texto é ainda mais dura, a ponto de Jesus chamar abertamente aqueles homens de "filhos do diabo" (Jo 8.44).

Ao que parece, portanto, "conhecereis a verdade" não é uma promessa, mas um desafio. Jesus propõe àqueles homens que reflitam sobre si mesmos, que abandonem por um instante sua tradição corrosiva, sua empáfia religiosa, seu *status* de especialistas nas Escrituras Sagradas, sua aparência de santidade e sua ânsia por falar e, em vez de tudo isso, se dediquem ao precioso exercício de ouvir. Só quem permanece fiel aos ensinos de Jesus pode ser chamado de seu discípulo. Mas só pode ser discípulo quem tem ouvidos para ouvir o que o Mestre diz. Esse é o único caminho para a liberdade.

Em 2016, a equipe do Dicionário Oxford escolheu *pós-verdade* como a palavra do ano. Na definição do dicionário, *pós-verdade* é algo "relativo a ou denota circunstâncias nas quais fatos objetivos são menos influenciadores na formação da opinião pública do que apelos à emoção ou à crença pessoal".[5] É um fenômeno típico da era das redes sociais. Observemos alguns exemplos disso.

Na campanha presidencial de 2018, Bolsonaro levou à bancada do Jornal Nacional, da rede Globo, um livro chamado

Aparelho sexual e cia.: Um guia inusitado para crianças descoladas,[6] que ele dizia ser material pedagógico de escolas públicas de governos petistas.[7] À época, o *youtuber* Arthur do Val, do canal Mamãe Falei, disse que aquele havia sido o melhor momento da entrevista, porque, no seu entendimento, Bolsonaro havia mostrado no ar, para todo o Brasil, "o Kit Gay".[8] O filho do então candidato, o atualmente deputado federal Eduardo Bolsonaro, também repercutiu a entrevista, publicando em seu canal no YouTube um vídeo em que exibe o livro contendo o carimbo de uma biblioteca pública da cidade paulista de Araraquara — o que, nas palavras dele, comprovaria que "o livro está presente em uma biblioteca". Em seguida, Eduardo pergunta, segurando um outro livro, *Sexo não é bicho-papão*:[9] "É isso aqui, pai e mãe, que você quer que seu filho aprenda numa sala de aula?".[10]

Na era da pós-verdade, em que fatos importam menos que crenças ou emoções, tais manifestações são o que basta para "provar" a degeneração dos valores morais impostos por governos de esquerda e a doutrinação dentro de "uma sala de aula". São o que basta para reforçar convicções, aprofundar crenças, fechar ouvidos para o contraditório. A Companhia das Letras, editora responsável por *Aparelho sexual e cia.*, emitiu nota dizendo que "o livro nunca foi distribuído a alunos da rede pública de Ensino. A única compra feita por um órgão público aconteceu em 2011: foram 28 exemplares que seriam disponibilizados em bibliotecas públicas".[11] A Escola Municipal Major Bonifácio Silveira, de Maceió (AL), cujo carimbo aparecia no livro *Sexo não é bicho-papão*, mencionado no vídeo de Eduardo Bolsonaro, afirmou que a obra de fato estava no acervo da instituição, mas nunca havia sido utilizada pela equipe docente. "Consideramos o conteúdo inadequado para nossos alunos e este material foi retirado do acervo da sala de leitura da escola". A explicação para o carimbo foi que "todo o material que é recebido é carimbado na capa ou contracapa".[12]

Num país em que 75% dos brasileiros afirmam jamais ter pisado em uma biblioteca,[13] ouvir ambos os lados da questão e comparar argumentos seria uma excelente oportunidade para discutir o cuidado com as bibliotecas municipais, os critérios para os acervos, a formação dos bibliotecários, as melhores opções de livros didáticos sobre sexualidade e preservação do corpo, e assim por diante. Todavia, a pós-verdade já nos basta para que compartilhemos nas redes sociais tudo aquilo em que *já* acreditamos.

Boatos, meias-verdades e opiniões disfarçadas de fatos foram usados à exaustão durante a campanha presidencial de 2018. O candidato do Partido dos Trabalhadores (PT), Fernando Haddad, ajudou a espalhar ao menos duas inverdades contra a chapa adversária de Jair Bolsonaro: que o futuro presidente havia votado contra o Estatuto da Pessoa com Deficiência, em 2015, e que o futuro vice-presidente, general Hamilton Mourão, havia sido um torturador a serviço da polícia repressiva durante o regime militar. Sobre o primeiro caso, o candidato do PT publicou em uma rede social, com tons de ironia, a seguinte afirmação: "Acredito que ele tenha votado contra por falta de conhecimento. Ele não foi educado para compreender toda a diversidade humana e sua complexidade".[14] Diante da repercussão negativa e da comprovação de que, na realidade, Bolsonaro havia se abstido da votação, a postagem foi apagada.

No segundo episódio, Haddad ajudou a divulgar uma fala do cantor pernambucano Geraldo Azevedo durante uma apresentação na cidade de Jacobina, na Bahia: "Eu fui preso duas vezes na ditadura, fui torturado, você não sabe o que é tortura, não. Esse Mourão era um dos torturadores lá". O candidato petista compartilhou as palavras de Azevedo, adicionando o comentário: "Bolsonaro nunca teve nenhuma importância no Exército. Mas o Mourão foi, ele próprio, torturador". Depois que Mourão veio a público dizer que só tinha 16 anos em 1969, quando Azevedo foi preso, e ameaçar o cantor com um processo, o músico pediu desculpas "pelos transtornos causados pelo equívoco". Haddad, entretanto, disse ter apenas repassado "ao público uma informação" que recebera "de fonte fidedigna". Afirmou se solidarizar com Azevedo: "Todo mundo que foi torturado está sujeito a esse tipo de confusão", e fez a ressalva: "Isso não tira o fato de que tanto Mourão quanto Bolsonaro têm o Ustra como referência".[15]

Conforme definiu o Dicionário Oxford, na era da pós-verdade os fatos objetivos (que Azevedo tenha ou não sido torturado por Mourão, que Bolsonaro tenha ou não votado contra o Estatuto, que os livros tenham ou não sido comprados por órgãos públicos ou que tenha ou não existido um "Kit Gay") importam menos do que os apelos às nossas emoções ou crenças pessoais. O que há são "pedaços" e ângulos da verdade (o fato de que Bolsonaro e Mourão citem Ustra como referência ou que uma biblioteca pública de Araraquara tenha carimbado um livro inadequado como parte do seu acervo), e eles já são suficientes para nos manter escravos do que Bolsonaro chamou em pleno Congresso de "nossas verdades".

Não a verdade que liberta, mas as "nossas verdades".

Durante a corrida presidencial de 2018, a jornalista Eliane Brum escreveu um precioso artigo na edição brasileira do jornal *El País*, apontando um desdobramento da pós-verdade e sugerindo o termo *autoverdade*, que seria "a valorização de uma verdade pessoal e autoproclamada, uma verdade do indivíduo, uma verdade determinada pelo 'dizer tudo' da internet". Nas palavras da jornalista, "o valor dessa verdade não está na sua ligação com os fatos. Nem seu apagamento está na produção de mentiras ou notícias falsas. [...] O valor da autoverdade está muito menos no que é dito e muito mais no fato de dizer".[16]

O que Eliane Brum descreve em seu artigo é um modelo de comunicação conhecido nas igrejas em que pregadores são avaliados muito mais pela veemência com que defendem suas convicções do que por qualquer compromisso com os ensinamentos de Jesus Cristo. Não raro, o que produz vínculos de identidade e fortalece comunidades é essa autoverdade proclamada a partir dos púlpitos, ainda que ela não guarde relação alguma com a Bíblia. Os Evangelhos, pelo contrário, mostram Jesus repreendendo os religiosos de sua época por sua incapacidade de olhar para si mesmos com autocrítica, de enxergar a verdade que estava além de suas certezas, de ao menos ouvir o que o outro tem a dizer.

Sem esse exercício, continuaremos aprisionados ao que o então deputado Jair Bolsonaro chamou de "nossas verdades". Inflamados e cegos de paixão, acabaremos ainda mais distantes da liberdade necessária para poder olhar todos os lados da questão e, assim, crescer no entendimento de uma realidade cada vez mais complexa.

2
Messianismo

....

> Os judeus que moravam em Bereia tinham a mente mais aberta que os de Tessalônica e ouviram a mensagem de Paulo com grande interesse. Todos os dias, examinavam as Escrituras para ver se Paulo e Silas ensinavam a verdade.
>
> ATOS 17.11

....

A primeira vez que entrei por conta própria em uma igreja evangélica foi aos 15 anos. Cheguei para recuperar um livro que havia emprestado a um amigo e reconheci naquele ambiente uma possibilidade de experiência religiosa menos formal que a do catolicismo de meu avô e, ao mesmo tempo, menos veemente e emocional que a do pentecostalismo clássico de minha avó. Era uma igreja acarpetada, com instalações amplas, telão e boa música, e gostei tanto dali que a apresentei a meus pais. Levarei aquela igreja em minha memória para sempre como o lugar onde tive a oportunidade de confessar Jesus como Salvador e Senhor.

No entanto, minha passagem por aquela congregação durou poucos meses naquele ano de 1989, exatamente o ano da primeira eleição para escolher um presidente no Brasil desde a redemocratização — e o rompimento teve tudo a ver com política.

Aos 15 anos, bastava para mim a placa de "Igreja Batista" para que eu me imaginasse assistindo a homens pregando como Martin Luther King Jr. e mulheres cantando como

Aretha Franklin, envolvido numa ideia de civilidade protestante que eu lia nos livros e via nos documentários. Só dali algum tempo eu descobriria que as comunidades batistas têm pouquíssimo em comum umas com as outras além do fato de não batizarem bebês e de decidirem no voto o que querem para si — o que inclui o direito de ser radicalmente diferentes da igreja batista do bairro ao lado. Aquela de que fiz parte em 1989, por exemplo, havia escolhido se afastar das confissões batistas históricas e seguir um líder carismático de fala messiânica, doutrina carismática e tendências revelacionistas.

O termo *revelacionismo* diz respeito à corrente de comunidades religiosas que se reúnem em torno de um indivíduo que afirma ser porta-voz de Deus para alguma revelação — geralmente algo que não se pode checar à luz da Bíblia e a que ninguém mais teve acesso. Naquele caso, o pastor afirmava que tinha sonhos repletos de simbolismos que apenas ele sabia interpretar, que tinha o poder de ler quais nomes estariam no Livro da Vida, que tinha sido transfigurado na juventude, que sua oração tinha o poder de desequilibrar (fisicamente) as pessoas e que Deus o despertava em meio à madrugada para lhe transmitir instruções bastante específicas a respeito de alguém com quem um fiel deveria se casar ou, até, o candidato em quem a comunidade deveria votar.

Passados tantos anos, nunca chegou até mim história que testificasse contra a honestidade daquele senhor. Ele parecia sincero no que dizia. É verdade que eu também era muito jovem, pouco esclarecido sobre o evangelho e sobre os bastidores eclesiásticos. Se me perguntassem, eu diria sem receio que ele realmente acreditava que Deus o havia acordado no meio da noite para lhe dizer que suas ovelhas deviam votar em Paulo Maluf para presidente da República.

Paulo Maluf havia sido governador de São Paulo entre 1979 e 1982, um cargo biônico — isto é, determinado pelos militares, sem eleição popular. Antes, atuara como prefeito da capital no período mais repressivo da ditadura militar, entre 1969 e 1971. Ficou conhecido pelo "rouba, mas faz", o que muitos anos mais tarde, em 2017, lhe renderia condenação do STF por lavagem de dinheiro.[1] Em 1984, foi o oponente derrotado de Tancredo Neves na eleição indireta para a presidência da República. Para quem, como eu, cresceu naquela década, "malufista" era uma ofensa reservada apenas aos maiores desafetos. Na década de 1990, Maluf foi acumulando tantos processos, bloqueios de bens e suspeitas de desvio de dinheiro que chegou a integrar a lista de procurados da Interpol, em decorrência de uma investigação norte-americana por sonegação, evasão de divisas e lavagem de dinheiro.[2]

Em 1989, eu não entendia muito de política e entendia menos ainda de teologia, mas tinha certeza de que a voz que aquele pastor ouvira *não* era a de Deus. Avisei a meus pais que não voltaria mais àquela igreja, e eles apoiaram minha decisão.

Diante do sumiço repentino de toda a minha família, o pastor assistente, responsável pela recepção de novos frequentadores, foi até nossa casa. Quando soube que estávamos congregando em uma pequena e tradicional igreja batista da região em que morávamos, e quando soube dos motivos de nosso desapontamento, disse apenas que as igrejas históricas, como a batista, enxergam o mundo espiritual só até certo ponto; a partir dali, apenas os pentecostais, imbuídos do Espírito Santo, eram capazes de ver. Ou seja: o problema estava conosco e com nossa falta de visão espiritual.

Foi só então, quando decidi sair de lá, que me dei conta de que poderia ser discipulado e ensinado a ler a Bíblia, em vez de estudar os livros escritos pelo pastor carismático da igreja. E descobri o quanto do entendimento daquela comunidade era diferente do que os apóstolos escreveram — e, para meu completo espanto, descobri que a própria Bíblia orientava os seguidores de Jesus a confrontar o que os líderes diziam.

O livro de Atos dos Apóstolos, no Novo Testamento, narra muitas das primeiras viagens missionárias dos cristãos. Nessas missões, os apóstolos costumavam procurar sinagogas e comunidades judaicas onde pudessem explicar que Jesus era o Filho de Deus prometido pelos antigos profetas, e que sua morte e ressurreição faziam parte do plano de reconciliação de Deus com o ser humano.

No capítulo 17, o apóstolo Paulo, acompanhado de Silas, parte para evangelizar a cidade grega de Tessalônica. Ali, contudo, encontram resistência. O texto bíblico registra tumultos, invasões e até a prisão dos missionários. Foram os próprios cristãos tessalonicenses, então, que sugeriram a Paulo e Silas que fossem a Bereia. Essa cidade, uma das mais antigas da Grécia, aparece em cinco versículos da narrativa. O relato conta que ali, mais uma vez, os apóstolos foram até a comunidade judaica do lugar — e a recepção não poderia ter sido melhor: "Os judeus que moravam em Bereia tinham a mente mais aberta que os de Tessalônica e ouviram a mensagem de Paulo com grande interesse" (At 17.11). Isso significa que, embora tivessem zelo por suas tradições religiosas, aquelas pessoas exercitavam o hábito de ouvir com atenção. Mais que isso: "Todos os dias, examinavam as Escrituras para ver se Paulo e Silas ensinavam a verdade" (At 17.12). A forma elogiosa com que a Bíblia trata os bereanos não diz respeito à sua espiritualidade avançada, mas sim à disposição de ouvir e à capacidade de conferir se o que ouviam era respaldado pelas Escrituras.

Convém lembrar que, diferentemente das megaigrejas de hoje em dia, dos auditórios climatizados ou das pregações televisivas, os apóstolos falavam para pequenos grupos em sinagogas, pátios públicos ou casas. Eram interrompidos, questionados, indagados, da mesma forma que Jesus havia sido interrompido, questionado, indagado ao longo de todo o seu ministério. A mensagem se discernia coletivamente, e a Bíblia registra com aprovação aquela cidade que sabia ouvir, questionar e examinar.

Infelizmente, "bereanos" não costumam ser tão benquistos assim em nossas igrejas. Minha família, por exemplo, ao questionar uma indução ao voto em Paulo Maluf, foi informada de que seus olhos espirituais eram limitados. Um casal que conheci décadas depois contou-me experiência idêntica na mesma igreja, em outro período eleitoral. Ao questionar o pastor, foram repreendidos por estarem interferindo nos "mistérios e desígnios de Deus", e passaram a se sentir discriminados pela liderança. Desse modo, aqueles que a Bíblia chama de "mente aberta" as lideranças religiosas de nosso tempo têm chamado de rebeldes, desobedientes, gente sem fé suficiente para crer no improvável.

Muitas são as teorias que visam explicar como se deu essa inversão dentro da igreja ao longo da história. Do meu ponto de vista, um aspecto fundamental a se considerar é o desenvolvimento do culto à personalidade — a tendência de atribuir a seres humanos valores sobre-humanos, ou, para usar o jargão evangélico, transformar gente comum em "ungidos do Senhor", intocáveis, inacessíveis, inerrantes.

Trata-se, em geral, de uma questão de comunicação — que vai do uso indiscriminado de artifícios como "o Senhor me deu uma palavra" até a imagens promocionais das igrejas em que o pastor aparece sempre em destaque, com pose de autoridade, passando pela construção mitológica na apresentação de homens e mulheres que teriam ouvido seu chamado espiritual desde o ventre materno ou em visões sobrenaturais. Há, ainda, a descrição dos líderes como maridos formidáveis, pais zelosos, conselheiros incansáveis, empreendedores privilegiados, e uma muralha de predicados entre as quais não resta brecha alguma para o debate.

O apóstolo Paulo, em contrapartida, se apresentava como alguém que fazia o mal que não queria e que não fazia o bem que desejava (Rm 7.19). Os heróis da Bíblia são pecadores como Davi, rancorosos como Jonas e vacilantes como Pedro, mas os pastores de nossas igrejas são propagandeados como homens completos e exemplares, cujas atitudes e palavras só podem ser compreendidas por aqueles que estão plenos do Espírito Santo.

Que vergonha de você e de mim, que não temos os olhos espirituais para enxergar.

Existe um nome para isso: messianismo. É a ideia de que alguém foi designado desde a eternidade pelo próprio Deus para estar em um lugar específico, separado para uma missão específica — e, portanto, questionar um messias é questionar a vontade do Deus que o enviou.

A palavra "messias" vem de *mashiach*, que, em hebraico, significa "ungido". No Antigo Testamento, os sacerdotes eram ungidos (Lv 8.10-12; Nm 3.3), bem como os reis do povo de Israel (1Sm 10.1; 16.13). Em grego, a língua em que o Novo Testamento foi escrito, "messias" é *christos*. Trata-se de uma palavra tão significativa que, quando Pedro disse a Jesus que o reconhecia como "o Cristo", isto é, "o Ungido", essa afirmação constituiu a base sobre a qual a igreja cristã viria a ser edificada (Mt 16.13-18).

Atualmente, qualquer um com microfone na mão e voz impostada pode se declarar "ungido", muitas vezes um sinônimo para a liderança personalista avessa ao contraditório. E, na realidade, conforme nos lembrou a Reforma protestante, entre os seguidores de Jesus todos são sacerdotes (1Pe 2.5,9), igualmente ungidos pelo Espírito Santo para ouvir a voz de Deus e interceder em favor uns dos outros.

Não é na Bíblia, portanto, que se encontra a inspiração de tantos líderes religiosos atuais, mas na propaganda dos regimes autoritários. Nos imperadores romanos, que atribuíam a si origens mitológicas e fantásticas, ou nos líderes totalitários como o comunista Josef Stálin (a respeito de quem, aliás, foi cunhada a expressão "culto à personalidade", em 1956, a fim de descrever os esforços do regime soviético para "elevar uma pessoa, transformá-la em um super-homem que possui características sobrenaturais semelhantes às de um deus"[3]).

Uma liderança messiânica pode embrulhar o estômago de quem leva a sério o referencial bíblico, no qual personagens como Pedro se definem como "apenas um homem como você" (At 10.26) e questionadores como os bereanos são descritos de forma positiva. No entanto, é algo facilmente assimilado por milhões de crentes que, domingo após domingo, ouvem pastores "ungidos" pelo Senhor recebendo revelações que não precisam passar nem pelo escrutínio da Bíblia, nem dos fatos concretos. Líderes cujo volume e impostação da voz é tudo de que necessitam como argumento.

Em agosto de 2019, o presidente Jair Bolsonaro afirmou, em referência ao programa federal Mais Médicos, que governos anteriores haviam trazido "dez mil fantasiados de médicos aqui dentro, em locais pobres, para fazer células de guerrilha e doutrinação". Um repórter perguntou se o presidente tinha provas do que afirmava. "Precisa ter prova disso aí? Tu acha que está escrito isso aí em algum lugar?", foi a resposta.[4] Uma semana depois, diante de novos estudos que apontavam o aumento em 82% das queimadas na Amazônia em seu primeiro ano de mandato, o presidente insinuou que poderia estar havendo "ação criminosa" da parte de organizações não governamentais "para chamar a atenção contra a minha pessoa", já que ele havia acabado "com o repasse de dinheiro público" para essas ONGs. Questionado pelos repórteres se havia algum estudo que comprovasse aquilo, o presidente respondeu: "Vocês têm que entender que isso não está escrito. Não tem um plano para isso aí. Isso é conversa, pessoal faz, toma decisão e ponto final".[5]

Em seu primeiro ano de mandato, Bolsonaro abandonou uma entrevista no Japão ao ser perguntado sobre uma crítica que Celso de Mello, ministro do STF, fizera a um vídeo em que o presidente se identificava como um leão cercado de hienas que representavam instituições brasileiras;[6] abandonou outra em São Paulo ao ser questionado sobre os vazamentos de conversas do então juiz Sergio Moro que revelariam sua parcialidade na condução de investigações da Operação Lava Jato;[7] abandonou outra em Goiânia após ser perguntado sobre o uso de um helicóptero da Força Aérea Brasileira para levar convidados ao casamento de seu filho Eduardo.[8] Em outra ocasião, às portas do Palácio da Alvorada, perguntado se falaria com a imprensa, respondeu: "Depende da pergunta".[9] E, no começo de 2020, diante da revelação de que o chefe da Secretaria de Comunicação Social da Presidência da República,

Fábio Wajngarten, possuía uma empresa que recebia dinheiro de emissoras e agências de publicidade contratadas pelo governo, Bolsonaro respondeu ao repórter: "Você está falando da tua mãe?".[10]

O messianismo envolto na figura de Jair Bolsonaro vai além da relação óbvia com o seu segundo nome, Messias. Em agosto de 2018, durante entrevista à GloboNews, o então candidato declarou: "Eu sou cristão", e prosseguiu, sugerindo o caráter sobrenatural de seu sucesso: "Olha o apoio popular que eu estou tendo. Não é inimaginável que isso esteja acontecendo? Como eu consegui isso? Quando eu falo em 'missão de Deus' eu penso o seguinte: qual vai ser o meu lema? Qual vai ser a minha bandeira? Então eu fui lá em João 8.32, 'E conhecereis a verdade e a verdade vos libertará'".[11]

Passado um mês dessa entrevista, Bolsonaro sofreu um atentado durante um comício em Juiz de Fora, Minas Gerais. A facada em seu abdome ajudou a sedimentar na mente de muitos de seus seguidores a imagem messiânica de um político que havia sido livrado da morte por Deus para reconduzir o Brasil à ordem e ao progresso. "Deus agiu e desviou a facada", disse Flávio Bolsonaro, um dos filhos do candidato, no dia seguinte ao atentado.[12] "A facada reforçou muito entre os evangélicos a sinalização de que a eleição do Bolsonaro ocorrerá pela vontade de Deus", disse o deputado federal evangélico Sóstenes Cavalcante.[13]

Com Jair Bolsonaro enfim eleito presidente, o discurso religioso só foi reforçado. "A tua palavra diz que quem unge a autoridade é Deus, e o Senhor ungiu Jair Bolsonaro", declarou o pastor, senador e cantor Magno Malta durante uma oração transmitida por todas as grandes emissoras de televisão, após o anúncio do resultado das eleições.[14] "Eu tenho uma missão de Deus", Bolsonaro disse ao jornal argentino *La Nación* depois da posse. "Foi um milagre eu estar vivo e outro milagre ter ganhado as eleições. Deus também tem me ajudado muito na escolha dos meus ministros."[15]

A construção da imagem messiânica de Bolsonaro é idêntica à de muitos líderes evangélicos, supostamente separados desde a eternidade para sua missão, preservados por Deus de milagre em milagre, de livramento em livramento, cujas palavras não precisam de provas ou números porque vêm de Deus e, no fim das contas, jamais poderão ser compreendidas pelos inimigos da verdade e pelas pessoas sem fé e sem visão. Nessa condição, a figura messiânica fica resguardada de quaisquer críticas e questionamentos.

À época das eleições de 2018, por curiosidade, entrei numa rede social, no perfil daquele jovem pastor que havia visitado minha família trinta anos antes. Hoje, ele próprio ocupa a posição de líder daquela comunidade, com seu rosto estampando os materiais promocionais da igreja. Em quem ele votaria? Com que discurso político se identificaria? Será que guardaria seu voto para si ou o proclamaria abertamente?

Não foi com surpresa que vi diversas publicações do pastor adornadas com as cores e os números associados a seu candidato. E, na postagem daquele domingo de eleição, recorria a verbos no imperativo que pediam a seus seguidores votos para o político que, nas palavras dele, seria o melhor para o futuro do Brasil.

3
O mundo

Enquanto ainda estou no mundo, digo estas coisas para que eles tenham minha plena alegria em si mesmos. Eu lhes dei tua palavra. E o mundo os odeia, porque eles não são do mundo, como eu também não sou. Não peço que os tires do mundo, mas que os protejas do maligno. Eles não são deste mundo, como eu também não sou. Consagra-os na verdade, que é a tua palavra. Assim como tu me enviaste ao mundo, eu os envio ao mundo.

JOÃO 17.13-18

No universo evangélico, usa-se muito a expressão "o mundo" como uma dimensão oposta ao reino de Deus. De fato, trata-se de uma ideia frequente na Bíblia. A primeira carta de João, por exemplo, nos adverte: "Não amem este mundo" (1Jo 2.15). O apóstolo Tiago, por sua vez, nos alerta: "Não percebem que a amizade com o mundo os torna inimigos de Deus?" (Tg 4.4). Já Paulo nos lembra de que Deus nos disciplina "para que não sejamos condenados com o mundo" (1Co 11.32). O próprio Jesus disse aos discípulos: "E essa paz que eu lhes dou é um presente que o mundo não pode dar" (Jo 14.27).

É claro que, nessas passagens, a Bíblia não está se referindo ao mundo como humanidade (como em "Deus amou tanto o mundo" de João 3.16) ou como sinônimo de planeta Terra (como em "relâmpagos iluminam o mundo" de Salmos 97.4). A Bíblia está se referindo a um conjunto invertido de valores, como um *éthos* corrompido e decadente. É um conceito que se constrói por toda a Escritura, desde a tentação no Gênesis até a queda da Grande Babilônia no Apocalipse. Não é recomendável, portanto, se arriscar a definir o que a Bíblia chama de *mundo* a partir de versículos isolados e raciocínios simplistas.

O raciocínio simplista, aliás, é bem conhecido: "reino de Deus" é a igreja e o que é feito para consumo da igreja, e "mundo" é o que acontece fora da igreja e além do mercado formado por frequentadores da igreja. "Reino de Deus" são os cultos de libertação, os acampamentos de jovens, as músicas do ministério Hillsong, os bonecos licenciados do Diante do Trono, as lojas de moda *gospel* e as novelas bíblicas da Record. Fora disso, o que há é a música "do mundo", as novelas "do mundo", as butiques "do mundo", os deputados "do mundo" e tudo o que não faça parte do cardápio de produtos e serviços de crente. É uma dicotomia ingênua, que procura dividir a realidade entre o que é religioso e o que é secular.

Essa dicotomia tem suas explicações, e nenhuma delas corresponde ao evangelho de Jesus. A primeira é a nostalgia de uma era em que toda a sociedade, toda a cultura, toda a erudição e todas as relações pessoais passavam pelo crivo da igreja institucional. A era moderna foi empurrando a religião para o campo das escolhas pessoais, e depois a pós-modernidade terminou de expulsá-la da esfera das discussões públicas. Redimir a sociedade, segundo essa visão nostálgica, equivaleria a recuperar o espaço e a influência de que a igreja dispunha antes do Iluminismo — ou chegar o mais perto disso.

Um outro aspecto, que alimenta e é alimentado pela nostalgia, é o caráter colonizador dessa igreja pré-iluminista. "Ganhar para Cristo" era igual a invadir, subjugar, dizimar, aculturar — a ponto de o teólogo católico Francisco Catão dizer que "a América Latina nunca foi evangelizada; foi conquistada para o catolicismo".[1] Ele se referia à relação dos católicos com os povos indígenas, mas foi precisamente esse o modelo aprendido e mimetizado pelos evangélicos brasileiros, para quem "evangelizar" consiste em tirar da igreja romana e levar para suas próprias congregações; "ganhar para Cristo" é dar o troco e tomar para si os espaços agnósticos, laicos, ateus, e, é claro, católicos.

Quando, em meados da década de 1990, entraram no debate público as causas identitárias, especialmente às ligadas aos grupos LGBT e aos diferentes modelos de família, o espírito de confronto entre "nós" e "eles" se avolumou. Ideias alarmistas de que "a igreja está sob ameaça" deram um senso de unidade a uma massa evangélica geralmente desunida, competitiva e caótica. As redes sociais eram os lugares em que nos informávamos, a partir de notícias verdadeiras e pós-verdadeiras, sobre a rarefação do espaço cristão e sobre a execução de irmãos missionários em países muçulmanos. Surgiu o termo "cristofobia" e a convicção de que muito em breve os pastores seriam obrigados por lei a realizar casamentos de *gays* e a incluir *cross-dressers* como membros de suas comunidades. Não parece coincidência que as grandes manifestações de junho de 2013 tenham explodido apenas um mês depois de o Conselho Nacional de Justiça decretar o direito ao casamento civil entre pessoas do mesmo sexo.[2] Era *o mundo* rondando, faminto, o terreno das igrejas e a mensagem do evangelho.

A forma como as políticas identitárias foram (ou *não* foram) debatidas ao longo das últimas décadas ainda é alvo de muita controvérsia, mesmo fora dos ambientes religiosos ou conservadores. Em passagem pelo Brasil para divulgar seu livro

Armadilha da identidade: Raça e classe nos dias de hoje,[3] o historiador paquistanês Asad Haider concedeu uma entrevista na qual criticou pesadamente uma esquerda "branca e classe média" que, "em vez de tomar as providências para mudar" a realidade, prefere gastar sua energia "acusando uns aos outros" e fazendo "as pessoas se sentirem culpadas". Haider faz uma distinção clara entre os movimentos históricos contra o racismo ou contra o machismo (movimentos que definiu como "coletivos e de massa" que "transformaram toda a estrutura social") e os movimentos identitários dos dias de hoje ("uma identificação pessoal com sua própria identidade").[4] Para Haider, há um grande dilema nos movimentos atuais: toda vez que alguém reivindica sua identidade e se manifesta como tendo orgulho dela, está, por um lado, realmente lutando contra o preconceito, mas, por outro, está se fechando nas próprias estruturas que o preconceito criou.

O historiador e antropólogo baiano Antonio Risério, autor de *Sobre o relativismo pós-moderno e a fantasia fascista da esquerda identitária*,[5] é ainda mais duro. Risério compara a intolerância das minorias do século 21 com a "patrulha ideológica" dos anos 1970 e diz que as reivindicações desses grupos atuais não levam em conta a população brasileira como um todo, mas apenas os desejos e interesses deles próprios. Também nota a "superioridade moral" autoatribuída à esquerda identitária e seus desdobramentos em forma de intolerância e fanatismo.[6]

Não é de se espantar que o evangélico brasileiro médio tenha se sentido patrulhado, ameaçado, inferiorizado moralmente, acusado pela esquerda "branca e classe média" de ser culpado por crimes que nem sabia que existiam. Nesse sentido, o medo do secularismo, da cristofobia e da perda da liberdade de culto se encaixaram como luva nos muitos braços de uma ameaça genérica que ganhava corpo no debate público: o "marxismo cultural".

De acordo com essa teoria, da mesma forma que as ideias de Karl Marx inspiraram o regime soviético e o socialismo do século 20, no novo milênio o marxismo teria tomado a forma de um grande plano internacional de dominação cultural cujo objetivo seria minar as bases da sociedade judaico-cristã. Assim, o globalismo, o relativismo, o feminismo, a cultura LGBT, as ONGs e todo o movimento ambientalista, entre outros, seriam sinais do avanço desse marxismo cultural. Difundida sobretudo nos círculos da extrema-direita norte-americana a partir dos anos 1990, a teoria se popularizou no Brasil, e entre os evangélicos, por meio do influenciador Olavo de Carvalho.

A semente do "marxismo cultural" remontaria às décadas de 1920–1930, com o advento da Escola de Frankfurt, um grupo de pensadores alemães que, segundo Carvalho, tinham por objetivo "destruir a cultura ocidental". O grande mobilizador desse movimento seria o filósofo italiano Antonio Gramsci. Diante da constatação de que o levante do proletariado, conforme previsto por Marx, jamais viria a acontecer, Gramsci defenderia, nas palavras de Carvalho, que o marxismo optasse pela "autoinversão": "em vez de transformar a condição social para mudar as mentalidades, iria mudar as mentalidades para transformar a condição social".[7] Ou seja: segundo a teoria do marxismo cultural, no século 21 a ameaça vermelha não se dá mais por meio de guerrilhas revolucionárias, armamentos nucleares ou modelos econômicos estatizantes, mas sim por meio das universidades públicas, dos filmes de arte bancados por dinheiro do contribuinte, dos programas de educação sexual, dos livros enviesados de história e até de teólogos progressistas infiltrados na igreja cristã.

Se o público evangélico já sonhava em obter representação política desde a primeira Marcha para Jesus, no início dos anos 1990, agora havia um mapa detalhando cada pedaço de seus maiores medos e receios.

Jair Bolsonaro seguiu esse mapa.

Paulista nascido no ano de 1955 na pequena cidade de Glicério, Bolsonaro ganhou alguma notoriedade no final da década de 1980, quando era capitão do Exército e atravessou dois julgamentos por "ter tido conduta irregular e praticado atos que afetam a honra pessoal, o pundonor militar e o decoro da classe" — em outras palavras, atos de rebeldia que incluíam reclamar do salário em plena revista *Veja* e participar de um plano para explodir bombas em unidades militares no Rio de Janeiro.[8] Foi considerado culpado no primeiro julgamento e absolvido no segundo, de novembro de 1988, quando já era vereador eleito do Rio, pelo Partido Democrata Cristão. Um mês depois, aos 33 anos, Bolsonaro foi para a reserva remunerada do Exército, acumulando o salário de capitão. Dois anos depois, no meio do mandato de vereador, elegeu-se deputado federal — e foi como deputado federal do chamado "baixo clero" que viveria pelos 27 anos seguintes.

Quando Bolsonaro começou a despontar como potencial candidato à presidência da República, a BBC Brasil analisou os 1.540 discursos feitos por ele na Câmara dos Deputados entre 1991 e 2018.[9] Mapeando palavras-chave, os jornalistas notaram uma mudança de ênfase radical a partir do quinto mandato (2011–2014). No início, termos como "Forças Armadas", "benefícios", "salários", "pensões" e "militar" revelavam a missão original de Bolsonaro: ser um representante da classe que o absolveu em 1988 e o ajudou a se eleger como político.

No primeiro mandato (1991-1994), por exemplo, o conjunto de dezesseis palavras-chave ligadas aos militares aparece 702 vezes, numa média de 2,51 vezes por discurso. No último (2015-2018), apenas 110 vezes, numa média de 0,76.

Declarado católico romano, Jair Bolsonaro travou contato pessoal com o universo evangélico no final de 2007, quando começou a namorar Michelle de Paula, funcionária da Câmara dos Deputados. Nascida em Brasília, Michelle cresceu em família católica, mas aos 14 anos converteu-se à tradição evangélica numa igreja batista em Ceilândia, no Distrito Federal. Mudou-se para o Rio de Janeiro em 2008, depois de assinar um acordo de união civil com Bolsonaro e ser exonerada de seu cargo na Câmara. No Rio, Michelle passou a frequentar a Assembleia de Deus Vitória em Cristo, de Silas Malafaia, pastor pentecostal que se apresenta como um defensor da fé cristã, dos princípios e valores éticos, morais e espirituais da igreja evangélica.[10] Foi Malafaia quem celebrou a cerimônia religiosa de casamento entre Michelle e Bolsonaro no turbulento ano de 2013 — o mesmo das grandes manifestações de rua e da legalização do casamento homoafetivo. Aquela seria a terceira união de Bolsonaro, a primeira celebrada por um pastor evangélico.

O estudo da BBC revela que, conforme crescia seu relacionamento com o mundo evangélico, Bolsonaro foi trocando o discurso de defesa dos direitos dos militares pela agenda conservadora: palavras-chave como "*gays*", "tortura", "Cuba" e "PT" saltaram de 41 ocorrências no primeiro mandato para 297 no último. Embora tenha votado diversas vezes junto ao PT como deputado, Bolsonaro agora encarnava o representante do antipetismo, um defensor da família heteronormativa, um soldado na linha de frente contra o "marxismo cultural", enfim, um verdadeiro aliado dos evangélicos em sua guerra contra *o mundo*. Bolsonaro já não era, portanto, apenas um representante dos militares. Era, como disse José Wellington Bezerra, um dos principais líderes da maior denominação evangélica do país, as Assembleias de Deus, "o único candidato que fala o idioma do evangélico".[11]

Para a doutora em ciência política Isabel Veloso, "falar o idioma" do evangélico brasileiro é ter uma "pauta conservadora", de "combate ao aborto, à união LGBT e à própria esquerda".[12] Na visão da pesquisadora, era isso o que os evangélicos esperavam de "um candidato que possa defender um Brasil mais próximo da Bíblia, um Brasil que prioriza a família".

Veloso acredita que, embora fosse um personagem já famoso por suas aparições em programas de televisão como o *CQC* e o *SuperPop*, bem como em vídeos propagados nas redes sociais, o grande ponto de convergência entre o futuro presidente e uma parcela considerável de evangélicos se deu em abril de 2016, quando, durante os discursos que analisavam o processo de *impeachment* de Dilma Rousseff na Câmara dos Deputados, Jean Wyllis cuspiu no rosto de Bolsonaro. Wyllys afirmou que, ao descer da tribuna onde havia votado contra o pedido de impedimento da petista, teria sido segurado pelo braço e insultado; assim, revidou com uma cusparada. À imprensa, no final da sessão, Bolsonaro disse nem desconfiar do que motivara a atitude de Wyllis: "Ele queria aprovar o 'Kit Gay' aqui, perverter nossas crianças em sala de aula. Talvez tenha sido isso que tenha tornado ele um tanto quanto agressivo".[13]

(Durante a campanha presidencial de 2018, o Tribunal Superior Eleitoral proibiu Bolsonaro de se referir ao "Kit Gay", porque este nunca existiu. O que existiu foi um material elaborado por profissionais de educação, gestores e representantes da sociedade civil, destinado ao projeto Escola Sem Homofobia, do Ministério da Educação, em 2004. Voltado à formação de educadores, o material foi considerado inadequado e vetado por Dilma Rousseff, mas trechos das cartilhas e dos vídeos vazaram e foram usados à exaustão como "provas" do aliciamento de crianças para o projeto de dominação *gay*.[14] Na era da pós-verdade, até mesmo livros que nunca foram considerados para o projeto acabaram sendo associados a ele e exibidos publicamente por líderes conservadores.)

As diferenças entre os dois então deputados não poderiam ser maiores. Bolsonaro era aquele que falava "o idioma dos evangélicos" e que dali um mês, exatamente no dia da votação do *impeachment* no Senado, estaria em Israel sendo batizado no rio Jordão pelo pastor Everaldo, presidente do PSC.[15] Jean Wyllis, por sua vez, ganhou fama como o vencedor da quinta edição do *reality show* Big Brother Brasil, da Rede Globo, um *gay* assumido eleito deputado federal em 2010 pelo PSOL, apoiador de leis que favorecem o reconhecimento civil para a união entre pessoas homoafetivas e os direitos trabalhistas de profissionais do sexo, além de crítico feroz do "fundamentalismo religioso" que, em sua visão, constitui um obstáculo "à livre expressão da sexualidade e à diversidade".[16] Era, para os olhos de muitos dentro do universo evangélico, uma personificação do *mundo* que agora enfrentava a igreja escancaradamente.

Jesus fala sobre o mundo em sua Oração Sacerdotal. Na cultura judaica, o sacerdote era o encarregado de representar o povo diante de Deus, levando ao Senhor as necessidades, os anseios e as confissões da nação. O pastor presbiteriano Hernandes Dias Lopes considera o texto de João 17 "a mais importante, magnífica e sublime oração registrada em toda a Escritura"[17] por registrar o raro momento em que o Deus Filho representa seu povo diante do Deus Pai.

O cenário é a última Ceia, que Jesus dividiu com seus discípulos em Jerusalém às vésperas da festa da Páscoa. Judas havia acabado de se separar do grupo, iniciando o processo que culminaria com a crucificação de Jesus. O Mestre, então, dá suas últimas palavras aos discípulos, e a Oração Sacerdotal representa o ato final dessa despedida. O objeto da oração é o povo de Deus, "aquele que me deste do mundo", diz Jesus, aqueles que pertenciam à cultura vigente e foram alcançados pelo Pai (Jo 17.6,9). Em meio à oração, Jesus faz uma afirmação surpreendente: "Não peço que os tires do mundo, e sim que os guardes do mal" (Jo 17.15, RA). Trata-se de uma clara e proposital distinção entre *o mundo* e *o mal* (ou "maligno" em outras traduções). Por quê?

Imagino que a resposta mais superficial seja a mais óbvia: nem tudo o que está no mundo é mau. Há muita beleza e muita verdade espalhada pelo mundo. Agostinho de Hipona dizia que Deus é a única verdade "pela qual todas as coisas são verdadeiras"[18] — o que inclui tudo o que é verdadeiro, como as ciências naturais, a poesia literária, uma canção de amor, o protesto de uma mãe na fila de um hospital e até certas declarações de um articulista de esquerda ou de um economista liberal. João Calvino, grande discípulo de Agostinho, diz que não devemos desprezar a verdade, porque toda verdade provém do Espírito Santo, sejam as que estão no campo da religião ou as que estão no território "secular".[19]

Mas a afirmação de Jesus também contém um ensino menos óbvio. Como notou o teólogo A. J. Macleod, Cristo jamais poderia desejar que Deus tirasse seus discípulos do mundo, porque isso "seria um obstáculo para os propósitos divinos".[20] Assim, "não peço que os tires do mundo" teria um valor quase acessório na oração de Jesus, apenas um pressuposto para o que realmente nos importa: que Deus não nos deixe cair em tentações. É como se Jesus dissesse: "Sabemos que é no mundo que eles têm de estar, então peço que livres meus seguidores das armadilhas do maligno".

Sim, Jesus nos ensina que Deus nos resgatou daquele sistema egoísta e letal chamado mundo, daquela escala distorcida e mentirosa de valores, e nos trouxe para a verdade do caminho de vida. Mas é justamente no mundo que ele nos quer manter, e não distantes numa fortaleza religiosa cercada de crocodilos. Porque é no mundo que está a missão a ser cumprida: "Assim como tu me enviaste ao mundo, eu os envio ao mundo" (Jo 17.18). Jesus foi ungido para "trazer as boas-novas aos pobres, anunciar que os cativos serão soltos, os cegos verão e os oprimidos serão libertos" (Lc 4.18-19). Foi assim que o Filho foi enviado ao mundo, e é assim que o Filho nos envia: para estar entre os pobres, os cativos, os doentes de corpo e de alma, os oprimidos pelos espíritos e pela cultura destrutiva. Jesus nunca quis sua igreja tremendo de medo dentro dos templos, sustentando políticos em Brasília para que empurrassem nossa religião à força a toda a sociedade. Muito pelo contrário. Jesus nos quer "resplandecentes num mundo cheio de gente corrompida e perversa" (Fp 2.15).

Que haja tanta escuridão do lado de fora só valoriza a luz que devemos fazer brilhar em toda parte. E, se há uma garantia clara na Bíblia desde o instante em que Jesus fundou sua igreja é a de que "as forças da morte não a conquistarão" (Mt 16.18). Não há o que temer; só há muito o que fazer.

Em Romanos 12—13, Paulo ensina que "a verdadeira forma de adorar" a Deus é o "sacrifício vivo e santo" de seus seguidores, o que implica uma mudança em toda a nossa conduta e maneira de pensar. O cristão adora a Deus em sua vida prática, servindo, ensinando, encorajando os desanimados, contribuindo, liderando, se for o caso, amando sem fingimento, odiando o que é mal e se apegando ao que é bom, trabalhando sem preguiça, ajudando os necessitados, cultivando a empatia, não fazendo distinção de pessoas por classe social, vencendo o mal com o bem, pagando seus impostos, respeitando as autoridades públicas, tendo o nome limpo na praça e amando o próximo como a si mesmo. Esse é o culto do seguidor de Jesus. Com efeito, é perfeitamente possível cultuar a Deus no dia a dia, no trabalho, na escola, no trânsito e em outros ambientes ditos seculares, tanto quanto é possível desprezar o culto a Deus dentro da igreja, atrás do púlpito, à frente da equipe de louvor ou gerenciando uma loja de produtos *gospel*.

Infelizmente, o que temos aprendido em nossas comunidades é a ignorar os clamores da sociedade, fugir dos perigos do mundo e reclamar: das novelas, dos programas humorísticos, dos artistas, de beijos em histórias em quadrinhos, dos projetos de lei do Jean Wyllys, da imprensa que não dá destaque aos eventos *gospel* que achamos que eles merecem.

"Evangelizar" é algo muito diferente disso. Assim Jesus instruiu seus discípulos: "Vão e anunciem que o reino dos céus está próximo. Curem os doentes, ressuscitem os mortos, purifiquem os leprosos e expulsem os demônios. Deem de graça, pois também de graça vocês receberam" (Mt 10.7-8). Evangelizar, portanto, é proclamar que o reino de Deus está acessível a quem quiser conhecer uma nova vida, "uma vida plena, que satisfaz" (Jo 10.10).

Conquistar um país ou continente para a religião cristã é fácil: bastam força, chantagem, censura, politicagem, pressão numérica e troca de favores políticos. Reclamando tão alto quanto aprendemos a reclamar, nunca faltarão políticos inescrupulosos para reclamar conosco e prometer as mudanças que queremos ouvir. Evangelizar, resgatar dos braços da morte, levar o reino de Deus para quem sofre *no mundo* é outro desafio, por vezes anônimo e artesanal, longe dos holofotes e dos gabinetes, que exige lágrimas e suor. Foi para isso que Jesus nos enviou, assim como o Pai enviou a ele.

4
Imprensa

....

> Muitos se propuseram a escrever uma narração dos acontecimentos que se cumpriram entre nós. Usaram os relatos que nos foram transmitidos por aqueles que, desde o princípio, foram testemunhas oculares e servos da palavra. Depois de investigar tudo detalhadamente desde o início, também decidi escrever-lhe um relato preciso, excelentíssimo Teófilo, para que tenha plena certeza de tudo que lhe foi ensinado.
>
> Lucas 1.1-4

....

Não é difícil explicar a má fama do jornalismo. A imprensa "comprada", de certa forma, surgiu antes mesmo da imprensa livre. Os repórteres do primeiro serviço de notícias conhecido, financiado pelo lendário mercador Jakob Fugger (1459–1525), eram apelidados de "menanti", uma corruptela do latim *minantis*, que significa "ameaça". Já as chamadas "gazetas", surgidas na Europa em meados do século 17, eram, em geral, bancadas por governos locais e sua pauta consistia sobretudo em espalhar boatos a respeito de exércitos inimigos e a oposição.

No Brasil, por exemplo, foi com base em ameaças e chantagens que Assis Chateaubriand ergueu o império dos Diários Associados na primeira metade do século 20. Quando comecei no jornalismo, corriam pelas redações histórias de jornais e revistas que sobreviviam não graças a seus leitores ou a seu departamento de publicidade, mas a reuniões a portas fechadas com empresários que eram ameaçados com reportagens escandalosas cuja publicação dependia do volume de anúncios comprados.

Todavia, a despeito dessa má fama, foram jornalistas do *Boston Globe* que em 2002 denunciaram os casos de abuso sexual e pedofilia que a arquidiocese católica da região procurava encobertar. Foram os jornais brasileiros da década de 1910 que alertavam sobre os riscos da gripe espanhola enquanto o governo tratava a epidemia como "um mal benigno", "sem caráter grave", e recriminava o que chamava de "sensacionalismo histérico da imprensa".[1] Foi um jornalista, Lowell Bergman, que em 1996 mostrou como a indústria do tabaco investia na dependência de seus próprios clientes. Foi graças ao jornalista Caco Barcellos, a serviço do *Globo Repórter*, que sete famílias descobriram em 1990 que seus filhos desaparecidos durante o regime militar haviam sido jogados na vala comum do Cemitério Dom Bosco, em São Paulo, e só então puderam sepultá-los com dignidade.

Políticos não gostam da imprensa. Ou, melhor dizendo, personalidades públicas em geral têm uma relação de amor e ódio com a imprensa. Gostam de ver sua imagem, seu nome e seu trabalho propagados para milhões de pessoas, mas não gostam de ser importunados por fotógrafos, confrontados em entrevistas, nem criticados por especialistas. E, de fato, o papel da imprensa é (ou deveria ser) fiscalizar, checar e confrontar, até apurar tudo aquilo que a versão oficial nem sempre conta. A pressão da imprensa é (ou deveria ser) proporcional à importância do personagem e ao interesse público. Em geral, os jornalistas mais premiados, preparados e bem remunerados de qualquer redação são os de política e economia.

E, naturalmente, as personalidades mais investigadas e confrontadas são políticos e homens e mulheres de negócio.

(Aliás, é clássico o caso de Thomas Jefferson, que em 1787, quando era embaixador dos Estados Unidos na França, declarou que entre um governo sem imprensa e uma imprensa sem governo, considerava a segunda opção melhor para seu país. Vinte anos depois, já no final de seu mandato como presidente, sofrendo a pressão do cargo, pensava de forma bem diferente: "Não se pode acreditar em nada que seja visto num jornal. A própria verdade se torna suspeita ao ser colocada naquele veículo poluído".[2])

Embora seja realmente um fenômeno da era das redes sociais, Bolsonaro é também um filho da "velha mídia". Em setembro de 1987, quando ainda era um capitão de artilharia, chamou a atenção da imprensa pela primeira vez e ocupou a disputada última página da revista *Veja*, na coluna de opinião "Ponto de vista". Aos 31 anos, Bolsonaro afirmou que "o desligamento de dezenas de cadetes da Academia Militar das Agulhas Negras" não tinha relação com os alegados casos de "homossexualismo, consumo de drogas e uma suposta vocação para a carreira", mas em "90% dos casos" se devia "à crise financeira que assola as massas de oficiais e sargentos do Exército brasileiro".[3] Foi sua primeira e ruidosa experiência com a mídia. Depois de migrar para a política, a polêmica continuou sendo seu passaporte para os holofotes. Em 1992, durante a "Marcha pela Dignidade Militar", do alto do carro de som, chamou o ministro do Exército, Carlos Tinoco, de "banana", "palhaço" e "covarde"; ganhou destaque no *Estadão*.[4] Em 1995, na Comissão de Trabalho da Câmara, chamou o ministro-chefe da Secretaria da Administração Federal, Luiz Carlos Bresser

Pereira, de "cara de pau" e, por cinco vezes, de "sem vergonha"; o ministro nem lhe dirigiu a palavra durante a sessão, mas ele ganhou na *Folha* menção maior que a de outros deputados.[5] Em 1998, durante pronunciamento na Câmara, chamou o cardeal de São Paulo, dom Paulo Evaristo Arns, de "vagabundo", "demagogo" e "megapicareta"; a *Folha* deu espaço.[6] No mesmo ano, defendeu a Polícia Militar no massacre em Eldorado dos Carajás, em que policiais executaram dezenove "desocupados que estavam desrespeitando a lei"; vários jornais repercutiram.[7] Em 1999, concedeu a infame entrevista ao programa *Câmera Aberta* em que defendeu um novo golpe militar, o fechamento do Congresso, a tortura e "uma guerra civil" que fizesse o trabalho "que o regime militar não fez", a saber, matar "uns trinta mil, começando pelo FHC".[8] O *Câmera Aberta* era transmitido pela Band, e sua participação no programa ganhou repercussão nos jornais nos dias seguintes.

Nos anos 2000, como vimos, seu discurso de defesa dos policiais e dos privilégios da classe foi dividindo espaço com a pauta conservadora. Mas sua tática para ganhar espaço na mídia continuou a mesma de antes. Em 2002, dependurou na porta de seu gabinete a foto do presidente Fernando Henrique segurando a bandeira do movimento LGBT e acrescentou a frase "Eu já sabia...". Saiu na *Folha*.[9] Em 2005, disse em discurso na Câmara que "se a corrupção existe nesta casa, quem a pratica, o homossexual ativo, é o presidente Lula", e propôs: "Temos que começar um movimento para desbancar o presidente da República. Não queremos homossexual passivo nem ativo nesse governo". Ganhou espaço no *Estadão*.[10] Em 2009, durante os debates a respeito do projeto Escola Sem Homofobia, também insinuou que a presidente Dilma fosse homossexual: "Dilma Rousseff, pare de mentir! Se o teu negócio é amor com homossexual, assuma, mas não deixe que essa covardia entre nas escolas de primeiro grau". Sua fala grassou na imprensa.[11]

Um estudo da Universidade Federal da Bahia de 2018 mapeou as 536 reportagens da *Folha* e do *Estadão* publicadas ao longo dos trinta anos de vida pública de Bolsonaro e concluiu que, com apenas dois projetos transformados em lei, o que garantiu seu espaço na imprensa foram as agressões verbais. "Ele soube usar a mídia", declarou o sociólogo Leonardo Nascimento. "Ele se aproveitou do modo como os seus discursos contra os direitos humanos, a favor da violência e da ditadura proporcionavam manchetes e, por conseguinte, visibilidade."[12]

Em 2011, o programa *CQC* alcançava boa audiência nas noites de segunda-feira na Band combinando a crítica política com o então popular humor de constrangimento característico do *Pânico na TV*. Seus humoristas-repórteres, por exemplo, poderiam se fantasiar de Morte para entrevistar o secretário de saúde de alguma cidade do interior ou abordar políticos em Brasília com perguntas estapafúrdias e embaraçosas. "Para nós, Bolsonaro era um cara tão ignorante, tão patético, sem nenhum tipo de competência e com valores morais tão deturpados, que ele era engraçado", relembrou uma dessas repórteres, Monica Iozzi, anos depois, e concluiu, lamentando: "O *CQC* teve um papel principal no fenômeno Bolsonaro".[13]

As aparições do deputado no programa ganhavam notoriedade nas redes sociais. Bolsonaro passou a gravar ele mesmo as abordagens do *CQC* para questionar a edição feita pelo programa, e logo decidiu produzir seus próprios vídeos originais (em um deles, com muitas visualizações, diante da negativa do deputado Jean Wyllys de viajar a seu lado em um avião, passou a gritar que estava sendo vítima de "heterofobia"[14]).

A imprensa tradicional amplificava cada polêmica, e Bolsonaro passou a ser entrevistado com frequência por programas como o *SuperPop*, da RedeTV!, e o *Programa do Ratinho*, no SBT.

O documentário norte-americano *Get Me Roger Stone*, de 2017,[15] é imperdível para quem deseja entender essa mistura de política, jornalismo e entretenimento. Roger Stone é um espalhafatoso consultor político envolvido com o Partido Republicano desde a campanha de reeleição de Richard Nixon, em 1972, e peça fundamental na eleição de Donald Trump em 2016. No documentário, Stone ensina que "para ser notado você tem que ser ultrajante", pois "a mídia é maligna ou preguiçosa, ou as duas coisas", e que "se você entender isso, pode fazer o que quiser". No final de 2019, Stone foi preso, acusado de sete crimes relacionados a um conluio entre o governo russo e a campanha de Donald Trump envolvendo notícias forjadas (as famosas *fake news*) e ataques cibernéticos. Todavia, suas lições sobre como oferecer política à mídia em forma de espetáculo continuam mais em voga do que nunca.

A Bíblia contém um pequeno porém vigoroso manual de redação para jornalistas. Seu autor, tradicionalmente aceito como Lucas, teria sido um médico não judeu discípulo do apóstolo Paulo que, por volta do ano 70 d.C., foi comissionado a escrever a biografia de Jesus e a história dos primeiros anos da igreja cristã. Ambos os livros parecem ter sido encomendados por um certo Teófilo — que, segundo acreditam os estudiosos, era um homem rico o suficiente para patrocinar a apuração de Lucas. A biografia de Jesus nós hoje conhecemos como "Evangelho segundo Lucas", e o livro histórico, como "Atos dos Apóstolos".

Entre as várias lições que Lucas nos dá, a primeira é a de que há diversas versões possíveis "dos acontecimentos que se cumpriram entre nós" (Lc 1.1). Age com grande honestidade o jornalista que deixa claro a seu leitor que nenhuma narrativa em texto, áudio ou vídeo pode dar conta de uma realidade multidimensional e complexa. É a mesma atitude do apóstolo João em seu Evangelho (20.30-31; 21.25) ao assumir que ocorreu muito mais do que seria possível contar em seus escritos. Nos últimos anos, desenvolveu-se o hábito de criticar o conteúdo jornalístico menos pelo que ele diz do que pelo que ele *não* diz; assim, são muitas as críticas do tipo "o repórter só não mencionou que o prefeito anterior fez muito pior" ou "a imprensa reclama tanto disso, mas nunca abriu a boca para reclamar daquilo", e assim por diante. Lucas, em contrapartida, explica que, obviamente, há diversos relatos possíveis e quem sabe igualmente justos, e que apenas com uma sobreposição das versões Teófilo poderia ter "certeza" das coisas que lhe foram ensinadas.

Outro ponto interessante é que Lucas faz uma distinção entre a importância das versões testemunhais e a versão do repórter. Sim, há aqueles que foram "testemunhas oculares" e transmitiram o que viveram (Lc 1.2), mas o que ele está oferecendo é um relato de alguém que, embora não tivesse andado com Jesus, investigou "tudo detalhadamente, desde o começo", a fim de apresentar um "relato preciso". Isso derruba uma percepção muito comum, a de que ninguém é capaz de contar uma biografia melhor que o biografado. Em 2007, por exemplo, o cantor Roberto Carlos chegou a impedir judicialmente o livro *Roberto Carlos em detalhes*,[16] do jornalista e historiador Paulo Cesar de Araújo, porque queria ele próprio ter o direito exclusivo de contar sua vida em forma de livro.[17] E a era das redes sociais agravou a mesma ideia: os perfis oficiais, pessoais, seriam mais fidedignos que a apuração profissional. Lucas está nos ensinando outra coisa: há, sem dúvida, imenso valor no relato presencial e testemunhal, mas há um outro trabalho, tão valioso quanto, de quem pesquisou, entrevistou, confrontou versões diferentes, reuniu material de acervo e, depois de investigar "tudo detalhadamente", escreveu de forma clara e organizada.

Lucas se preocupou tanto com o conteúdo (apuração e investigação) quanto com a forma (escrita precisa). Nas redações modernas, essas duas funções raramente são desempenhadas por um mesmo profissional. Em geral, quem cuida da apuração é o repórter, e quem se ocupa da apresentação final é o editor. O já falecido consultor tcheco Jan White definiu *edição* como a arte de "gritar o que precisa ser gritado e sussurrar o que precisa ser sussurrado".[18] É o editor, portanto, quem escolhe as notícias que vão para o primeiro bloco do telejornal, quais assuntos merecem destaque no portal de notícias, que trechos da entrevista em vídeo entrarão na montagem final, se as fotos mostrarão o personagem-tema da reportagem sorridente ou sério e, finalmente, como harmonizar tudo isso sem repetir verbos e construções gramaticais.

É impressionante como o trabalho do editor é criticado atualmente. Mas é muito compreensível: em um mundo de *self-service*, de extrema personalização, parece inadmissível que alguém escolha imagens e palavras usando critérios diferentes dos nossos. Para cada decisão tomada, sempre haverá dúzias de postagens nas redes sociais reclamando do "viés ideológico" e dos sentidos ocultos daquele conteúdo. De fato, edição é escolha e, se não admitirmos que se possa haver escolhas diferentes das nossas, jamais aceitaremos o processo de edição de conteúdo.

É verdade que é fundamental manter o espírito crítico — desde que não nos esqueçamos de que o jornalismo é ofício humano, feito por seres humanos, num processo envolvendo vários humanos sujeitos a erros humanos. Um entrevistado mal-intencionado, por exemplo, pode induzir um bom repórter ao erro. Um crítico de artes num mau dia pode interpretar um filme de forma injusta. Um editor de vídeo pode escolher a frase mais impactante da entrevista e dar uma noção equivocada do todo. Um outro pode escolher uma foto que chame a atenção em meio a um portal saturado de informações e acabar soando apelativo. Nas redações, diz-se que todas as profissões estão sujeitas a erros, mas só no jornalismo os erros são remetidos para a casa de centenas de milhares de clientes.

Ainda assim, nem o erro mais grosseiro deve ser confundido com o que se convencionou chamar de *fake news*. Em tradução direta, *fake news* são "notícias falsas", um conteúdo com aparência de factual criado por profissionais de *marketing* e tecnologia sob encomenda de partidos políticos (mas também, como se descobriria depois, de times de futebol, empresas e até celebridades), que pagam milhares de reais pelo trabalho de manipulação da opinião pública e pelo espalhamento desse conteúdo por meio de robôs e perfis falsos nas redes sociais. As *fake news* podem ser simples boatos plantados, mas, como toda mentira, são mais eficientes quando usam elementos verossímeis: notícias antigas compartilhadas como se fossem atuais, vídeos de entrevistas reais remontados para conferir um sentido oposto ao original, opiniões pessoais reeditadas como se fossem fatos.

Com sua campanha presidencial de 2016 investigada justamente pelo uso massivo de notícias falsas, Donald Trump começou a chamar de *fake news* tudo o que fosse crítico ou desfavorável a sua narrativa oficial. A intenção, ao que parece, era banalizar um assunto sério, confundir o público médio e dar a impressão de que mesmo a imprensa profissional forja notícias. Sua estratégia, claro, foi rapidamente imitada no Brasil.

Um breve exemplo local. Na noite de 27 de março de 2019, a jornalista Eliane Cantanhêde entrou ao vivo na GloboNews para divulgar que o presidente Jair Bolsonaro havia tomado a decisão de demitir o então ministro da Educação Ricardo Vélez Rodrigues. "É uma questão de tempo. Pode ser em horas, pode ser em dias", disse ela no ar. Bolsonaro foi ao Twitter se defender e atacar a imprensa: "Sofro *fake news* diárias como esse caso de 'demissão' do ministro Velez. A mídia cria narrativas de que não governo, sou atrapalhado etc. Você sabe quem quer nos desgastar para criar uma ação definitiva contra meu mandato no futuro".[19] Seu tuíte foi replicado milhares de vezes, e a jornalista e a emissora receberam milhares de ofensas. Pode-se discutir a decisão de Eliane em divulgar a informação prematuramente, mas o fato é que, doze dias depois, ficou provado que não havia nada de forjado naquela história, e Vélez foi realmente exonerado.

Na maioria das vezes, quando um político usa o termo *fake news*, ele está simplesmente *criticando* a imprensa. No final de 2019, a Agência Lupa, especializada em checagem de fatos, revelou que este era o caso com Jair Bolsonaro em 64,5% das vezes em que usou o termo em 2019.[20] No mesmo período, a Federação Brasileira de Jornalismo computou 116 ataques do presidente à imprensa — 11 deles citando nominalmente o profissional.[21]

Aparentemente, no Brasil a péssima relação com a imprensa é um ponto em comum entre governos de direita e de esquerda. Em 2004, quando Lula era presidente, o Palácio do Planalto determinou a suspensão do visto do jornalista americano Larry Rohter, por ter escrito no renomado *The New York Times* que o petista tinha problemas com bebidas alcoólicas.[22] Dois anos depois, Lula pretendia enviar ao Congresso um projeto que reformulava a legislação de escutas telefônicas, proibindo até mesmo as feitas com autorização judicial — o projeto ficou conhecido como "Lei da Mordaça" e não seguiu adiante.[23] Em 2013, ano em que diversos jornalistas foram agredidos e carros de reportagem depredados, Lula discursou no Senado por ocasião dos 25 anos da Constituição brasileira e conseguiu encaixar em suas palavras a inacreditável fala de que "a imprensa avacalha a política" e que, ao fazer isso, estaria "praticando, na verdade, a ditadura".[24] Faz todo o sentido que, em janeiro de 2020, Lula tenha dito em entrevista ao UOL que "parte das críticas de Bolsonaro à imprensa é correta".[25]

Quando me perguntam qual o papel do jornalista na promoção do reino de Deus, costumo responder que é o mesmo de qualquer outro seguidor de Jesus: ir como cordeiro no meio de lobos, ter foco no trabalho, entrar na casa das pessoas com uma palavra de paz, curar doenças e anunciar um reino de justiça e amor (Lc 10.1-9). Talvez um médico entenda "curar os enfermos" mais literalmente, mas há diversas formas de tratar as doenças das pessoas e da sociedade. Um jornalista de política pode denunciar a corrupção ou a situação de grupos vulneráveis. Um jornalista de economia pode mostrar exemplos de empreendedores dedicados a atividades sustentáveis. Um jornalista de música pode criar espaços para artistas à margem das engrenagens da indústria ou recuperar quem foi alienado dela. Em todo caso, anunciar o reino de Deus é anunciar um sistema de valores, "uma dimensão real da criação de Deus, um lugar onde a vontade de Deus, e somente ela, é feita", na definição do escritor Rob Bell.[26]

É claro que, em geral, o jornalismo que você conhece não é assim. Nem é assim o que eu conheço. (Como também não são assim a maioria dos advogados, professores, médicos, políticos ou mesmo pastores e padres que conhecemos...) Mas uma coisa é discutir a *qualidade* do jornalismo; outra, bem diferente, é questionar a *importância* do jornalismo.

Quando políticos usam seu espaço público (muitas vezes em canais pagos com dinheiro do contribuinte) para transmitir a ideia de que o jornalismo crítico é "inimigo do Brasil" ou "inimigo da democracia", eles não estão lutando por um jornalismo melhor. Estão trabalhando para que as pessoas acreditem que o trabalho da imprensa não vale a pena. E por que os políticos teriam interesse nisso?

Dados da ONG Transparência Internacional colhidos em 180 países comprovaram que onde a imprensa é mais forte a corrupção é mais combatida.[27] É por isso que, na Hungria, empresários ligados ao primeiro-ministro Viktor Orbán compraram todos os antigos jornais independentes. É por isso que o presidente turco Recep Erdoğan disse que é impossível que um país prospere "se os líderes têm medo do que vai sair na imprensa".[28] No relatório da Transparência Internacional, ambos os países desceram em sua classificação quanto à liberdade de imprensa e, ao mesmo tempo, subiram quanto a seu nível de corrupção percebida.

Jesus Cristo afirmou: "Quem pratica o mal odeia a luz e não se aproxima dela, pois teme que seus pecados sejam expostos" (Jo 3.20). De igual modo, onde há imprensa livre, por imperfeita que seja, há a fiscalização contra corrupção. Basta pensar no papel dos jornais durante as operações Mãos Limpas, na Itália, e Lava Jato, no Brasil. Papel imperfeito, por vezes questionável,[29] mas fundamental no combate à impunidade.

Uma parte do ataque à mídia profissional de hoje em dia consiste em espalhar a ideia de que a internet seria uma resistência popular, democrática e isenta contra o monopólio das "nove ou dez famílias"[30] que comandam os meios de comunicação no Brasil. É uma ideia simplista, por diversos motivos. Desde 2012, pelo menos, a audiência da internet já supera a da televisão no Brasil — para se ter uma ideia, há o dobro de brasileiros com acesso às redes sociais do que à coleta de esgoto. Em segundo lugar, porque a concentração de influência agora é muito maior: em 2018, ano da eleição presidencial, quatro dos cinco aplicativos mais baixados pelo brasileiro pertenciam à mesma empresa, o Facebook. E, ao contrário das redações jornalísticas, vulneráveis a processos por calúnia que, na prática, podem significar o fechamento de suas portas, a legislação para os crimes em redes sociais ainda é incipiente, colocando notícias forjadas em pé de igualdade com "liberdade de expressão" e *fake news* no WhatsApp com "garantia de privacidade". Conquanto haja um movimento crescente contra isso, há pouca responsabilidade desse conglomerado quanto a informações falsas divulgadas por pessoas físicas, jurídicas e robôs contratados para amplificação de postagens. Por último, e mais importante: porque o alcance das redes sociais pode ser comprado. Conteúdos da internet podem ser impulsionados mediante pagamento e alcançar o público certo a partir de algoritmos refinados — e aqui nem se trata de perfis falsos usados para multiplicar ilegalmente o alcance dos conteúdos, mas *todo* perfil.[31]

A internet foi o meio preferencial de informações do brasileiro para a campanha presidencial de 2018.[32] Naquele ano, a Agência Lupa mapeou as cinquenta imagens mais compartilhadas no WhatsApp e descobriu que apenas 8% delas eram verdadeiras.[33] Boa parte dessas imagens e de vídeos manipulados passaram pelos grupos de WhatsApp de membros de nossas famílias e igrejas. E, no entanto, eram mentiras, criadas por profissionais da política para manipular a boa-fé de pessoas amedrontadas e furiosas.

A relação de Jair Bolsonaro com a imprensa não tem sido a de evitá-la, como uma celebridade que foge dos *paparazzi* escondendo o rosto com as mãos. Pelo contrário, sua postura é a de alimentá-la no que ela tem de pior. A estratégia é usar seus canais de comunicação para, entre outras coisas, reclamar de um filme a que de fato nunca assistiu,[34] compartilhar imagens de perversões sexuais no Carnaval[35] ou, como fez em toda sua carreira como político, ofender pessoas e agredi-las verbalmente.[36] Tudo com enorme repercussão, tanto na nova quanto na "velha" mídia.

Em seu primeiro ano como presidente, Bolsonaro falou com repórteres praticamente todos os dias ao entrar e sair do Palácio da Alvorada, sempre cercado de seguranças, assessores e de uma claque de apoiadores que aplaude tudo o que diz. Ali, já fez sinal de "banana" com os braços para os jornalistas,[37] já fez alusão à mãe de um repórter,[38] já zombou da "cara de homossexual terrível" de outro,[39] já fez trocadilhos indecorosos com outra[40] e até já levou um comediante fantasiado de presidente para responder às perguntas.[41]

Pode parecer paradoxal, mas os editores adoram isso: em um mundo abarrotado de informação, são bizarrices como essas que geram cliques e compartilhamentos. Enquanto estamos entretidos com o *show* de horrores nas primeiras páginas, os projetos de lei e as medidas econômicas que realmente impactam a vida do cidadão comum vão para algum canto das páginas internas.

Entender que o jornalismo brasileiro está muito longe do padrão defendido no Evangelho segundo Lucas não conflita com o entendimento de que a imprensa é fundamental numa democracia. É preciso cobrar e espezinhar sem trégua os jornais para que eles melhorem o nível de seu serviço. Mas cair no truque autocrático de que uma imprensa crítica é "inimiga do Brasil" é fazer exatamente o jogo dos poderosos: estrangular o jornalismo independente até que reste apenas a versão oficial, a propaganda de quem ocupa o poder. A versão produzida com o dinheiro do contribuinte para enganar o próprio contribuinte.

5
O governo de Deus

Sendo assim, irmãos, escolham sete homens respeitados, cheios do Espírito e de sabedoria, e nós os encarregaremos desse serviço.

ATOS 6.3

— Eu não acho que o sistema funciona.
— E como você acha que ele funcionaria?
— Nós precisamos de um sistema em que os políticos se sentem e discutam um problema, concordem com o que é melhor para o interesse do povo e então o façam.
— É exatamente o que fazemos. O problema é que essas pessoas nem sempre concordam.
— Então eles deveriam ser obrigados a concordar.
— Por quem? Quem deve obrigá-los?
— Eu não sei, alguém. Alguém sábio.
— Soa como uma ditadura para mim.
— Bem, se funcionar...

George Lucas é muitas vezes criticado como autor de diálogos infantis e simplórios. Entretanto, no filme *Star Wars Episódio II: Ataque dos clones*, de 2002, ele captou com perfeição um raciocínio infantil e simplório: a democracia é lenta, a democracia é trabalhosa, a democracia é imperfeita, mais fácil seria se alguém, um "sábio", obrigasse-nos todos a tomar uma mesma decisão, um mesmo caminho. No filme, esse é um diálogo entre o jovem *jedi* Anakin e sua namorada, a senadora

Padmé. No ponto do roteiro em que uma crise de decisão está posta no Senado Galáctico, a conversa planta no espectador a semente que se desenrolará no restante da saga: Anakin se deixaria seduzir pelo lado sombrio da força e uma ditadura seria imposta pelo chanceler Palpatine, a serviço de quem o *jedi* se transformaria em um dos maiores vilões da história do cinema, Darth Vader.

O raciocínio de Anakin é muito comum na vida real. Ao comentar o Índice de Percepção da Corrupção em 2018, Patrícia Moreira, diretora executiva da Transparência Internacional, mostrou que "a corrupção mina a democracia e produz um ciclo vicioso, em que a corrupção corrói as instituições democráticas e, por sua vez, instituições fracas são menos capazes de controlar a corrupção".[1] Em 2018, ano da eleição presidencial brasileira, o Pew Research Center entrevistou 30 mil pessoas de 27 países e revelou que 51% delas estavam insatisfeitas com o funcionamento da democracia em seu país. No Brasil, a taxa era ainda maior: 83%.[2]

Dizer que o Brasil vive uma relação *sui generis* com a democracia é tão redundante quanto dizer que o Brasil vivia uma democracia *brasileira*. Este é o país em que a República foi proclamada por meio de um golpe militar promovido por um marechal monarquista amigo do imperador enciumado de um ministro que lhe havia roubado a namorada. Em que o "pai dos pobres" pode ser, num mesmo homem, um ditador que flertava com o fascismo e um democrata nacional--desenvolvimentista. Em que, temendo uma suposta ditadura comunista, caiu-se dentro de uma ditadura militar — ditadura com eleições, alternância de poder e altíssima estatização da economia. Em que, em nome da "democracia", livros foram censurados, estudantes foram mortos e intelectuais, perseguidos. Em que um governo de inspiração socialista dá aos bancos privados o maior lucro de sua história. Democracia à brasileira.

Em favor de Bolsonaro, seria incorreto dizer que, pelo menos à altura de seu primeiro aniversário de mandato, ele tenha se revelado um ditador. Primeiro, porque, diferentemente de outros líderes populistas como o venezuelano Hugo Chávez ou o filipino Rodrigo Duterte, seu poder de sedução é limitado — foi votado por apenas 39%[3] dos eleitores e, passados doze meses, seu governo era considerado positivo por apenas 34,5% dos brasileiros.[4] Em segundo lugar, porque, pelo menos até o fechamento deste livro, as instituições republicanas continuavam funcionando normalmente ("normalmente" à brasileira). O Congresso brasileiro teve papel tão fundamental para estancar as crises e aprovar as reformas do primeiro ano que o sociólogo Celso Rocha de Barros cunhou o termo "maiamentarismo" para definir um regime no qual a pauta política do país era basicamente determinada por Rodrigo Maia, o presidente da Câmara dos Deputados, enquanto o governo criava problemas de diversas naturezas.[5]

Contra Bolsonaro, pode-se dizer de sua admiração por regimes ditatoriais,[6] sua pouca clareza sobre o que é democracia ("a minoria tem que se curvar para a maioria"),[7] suas incitações contra o Congresso e o STF,[8] e seu apoio ao uso da força e violação de direitos básicos. Mas igualmente se poderia mencionar a adoração de Lula por Fidel Castro,[9] o boicote do PT à posse de Bolsonaro, classificado como um "governo autoritário, antipopular e antidemocrático",[10] e sua hipócrita presença na posse de Nicolás Maduro, na Venezuela, uma semana depois.[11] Aos trancos e barrancos, ambos agem dentro do campo brasileiramente, avacalhadamente democrático.

Democracia é um termo de origem grega que significa "governo do povo". É um modelo assegurado pelo famoso sistema de "freios e contrapesos" formulado por Montesquieu no período da Revolução Francesa: o poder deve fiscalizar, regular e evitar abusos do próprio poder. Para isso, há uma série de ferramentas que variam de país para país — o voto popular, a separação entre Executivo, Legislativo e Judiciário, o Ministério Público, a imprensa livre, os sindicatos, o parlamentarismo, a garantia de livre expressão, as organizações populares, etc. Sem esse delicado sistema, o voto popular pode concretizar ideias perigosas como "a minoria tem que se curvar para a maioria", ou coisa pior.

Muito embora já tenha declarado que "através do voto você não vai mudar nada neste país",[12] e apesar do pouco valor que o brasileiro tem dado à democracia, nem o presidenciável nem o presidente Jair Bolsonaro propuseram uma ditadura. Seu discurso, lido nas linhas e entrelinhas e insistentemente repetido, é outro, muito mais eficiente e persuasivo: o "sábio" que está por trás dele, aquele que em seu governo "obrigará" o sistema a funcionar, é o próprio Deus.

"Deus" foi a segunda palavra mais usada por Bolsonaro nos primeiros dez meses de seu mandato, atrás apenas de "Brasil".[13] Nos eventos evangélicos de que participa, como a Marcha para Jesus (o primeiro presidente a fazê-lo), Bolsonaro gosta de recorrer a variações da frase "o Estado é laico, mas eu sou cristão".[14] Para entender devidamente essa frase, é preciso harmonizá-la com o que muitos líderes religiosos vêm ensinando às suas congregações já há alguns anos: a de que os "ímpios" estariam querendo "alijar" os evangélicos do processo político sob a acusação de fundamentalismo religioso, e que estaria em curso uma tentativa da esquerda de transformar um Estado laico em Estado "laicista" ou "ateu".[15] Quando se diz cristão, quando afirma sonhar com um ministro "terrivelmente evangélico" para o STF,[16] quando repreende a Ancine por apoiar filmes "fora da tradição judaico-cristã",[17] Bolsonaro está se colocando não apenas como uma barreira contra esse processo de alijamento, mas como um fiador de poder aos próprios evangélicos.

Na noite em que as urnas confirmaram sua vitória para a presidência da República, a casa de Jair Bolsonaro no condomínio Vivendas da Barra, no Rio de Janeiro, foi cercada de cinegrafistas e repórteres de todas as emissoras e grandes jornais, aguardando seu primeiro pronunciamento como presidente eleito. Antes de um discurso, assistiram a uma oração, conduzida pelo então senador Magno Malta: "A tua palavra diz que quem unge a autoridade é Deus, e o Senhor ungiu Jair Bolsonaro. A partir dessa data ele passa a ser o presidente de todos nós, um presidente que ama a pátria, um cristão verdadeiro, um patriota, cheio de fé, de coragem e de esperança". Iniciava-se, ali, diante das câmeras, um processo de teocratização da política brasileira: "Agradecemos por todos os nossos amigos, desde o homem mais simples nas ruas do município mais simples deste país que levantou uma bandeira, desde aquela senhora que orava de madrugada até a outra que rezava. Evangélicos, espíritas, católicos, confissões de fé de um país majoritariamente cristão".[18]

Teocracia significa "governo de Deus". Por definição, pressupõe que os chefes de Estado sejam, também, sacerdotes da religião oficial — assim, o país funcionaria sob as ordens de Deus, aplicando-as às coisas públicas. Embora não seja um padre ou pastor, o fato é que Bolsonaro montou um time repleto de ministros e secretários vinculados à linguagem, aos dogmas e aos valores de boa parcela do movimento evangélico brasileiro. Para o Ministério da Mulher, Família e Direitos Humanos, convidou a pastora Damares Alves, que se apresentava como "mestre em educação, em direito constitucional e direito da família", mas, depois de questionada por jornalistas, explicou que era "mestre" no sentido bíblico, designada por Deus e não por cursos reconhecidos pelo MEC.[19] Ao final do primeiro ano de mandato, Damares revelou-se a segunda ministra mais popular do governo, atrás apenas do ex-juiz Sergio Moro.[20] O chanceler Ernesto Araújo, em seu discurso de posse no Itamaraty, citou João 8.32 ("e conhecereis a verdade, e a verdade vos libertará") em grego.[21] Para a coordenadoria de Índios Isolados e Recém-Contatados na Funai, mesmo sob protestos da ONU, foi indicado o pastor e ex-missionário Ricardo Lopes Dias.[22] O secretário de Cultura, Ricardo Alvim, atribuiu a uma "ação satânica" a explicação para um vídeo em que havia plagiado a estética e o discurso nazistas, o que resultou em sua demissão.[23] O segundo ministro da Educação, Abraham Weintraub, em um evento cujo tema era "O novo Brasil na perspectiva cristã", fez um discurso repleto de metáforas bíblicas, definindo-se como "a pedra que o rei Davi pegou do chão, colocou na funda e jogou para matar Golias".[24] O ponto culminante talvez tenha sido a comparação que Ernesto Araújo fez ao dizer, com a voz embargada, que o presidente Bolsonaro era "a pedra que os órgãos de imprensa rejeitaram, a pedra que os intelectuais rejeitaram, que os especialistas rejeitaram... Essa pedra tornou-se a pedra angular do edifício do novo Brasil".[25] Trata-se de uma ilustração usada na Bíblia Sagrada para referir-se a ninguém mais ninguém menos que o próprio Cristo (1Pe 2.4-8).

A fala de Araújo é importante porque reflete um raciocínio muito comum dentro das igrejas evangélicas, uma máxima que, embora não esteja na Bíblia, é proclamada como se fosse palavra dos próprios apóstolos: "Deus não escolhe os capacitados, mas capacita os escolhidos". Foi com base nessa ideia que o pastor Silas Malafaia introduziu à sua igreja o presidente eleito Jair Bolsonaro, no final de 2018: "Deus escolheu as coisas loucas para confundir as sábias, Deus escolheu as coisas fracas para confundir as fortes", disse Malafaia, sob aplausos, descontextualizando as palavras de Paulo em 1Coríntios 1.27-28. "Agora a coisa vai ser mais profunda", continuou Malafaia: "Deus escolheu as coisas vis, de pouco valor, desprezíveis, que podem ser descartadas, as que não são, que ninguém dá importância, para confundir as que são, para que nenhuma carne se glorie diante dele", e, apontando para o presidente, concluiu: "É por isso que Deus te escolheu".[26] O vídeo repercutiu sobretudo por seu aspecto cômico, com um Bolsonaro impassível como um soldado ao lado do pregador que o chamava de vil, fraco, descartável, louco, desprezível etc. A mensagem religiosa, contudo, era clara: o próprio Deus havia escolhido Bolsonaro. Deus era o "sábio" por trás de sua eleição, e a partir de então Deus o capacitaria para finalmente fazer o sistema funcionar. Segundo esse raciocínio, o despreparo e a incompetência deixam de ser um problema e se tornam uma virtude — uma espécie de "atestado" da presença de um Deus que se diverte confundindo os sábios.

Na Bíblia, no capítulo 6 de Atos dos Apóstolos, há um episódio muito significativo que mostra um processo de escolha na igreja primitiva. Nele, os apóstolos indicam quais critérios podemos seguir para eleger aqueles que vão cuidar dos interesses da comunidade. O texto conta que, com o rápido crescimento daquele primeiro grupo de cristãos, começaram a surgir deficiências na organização da distribuição de alimento para as viúvas. Uma reunião foi convocada pelos doze apóstolos, os líderes da igreja, que diante da situação propuseram o seguinte: "Escolham sete homens respeitados, cheios do Espírito e de sabedoria, e nós os encarregaremos desse serviço. Então nós nos dedicaremos à oração e ao ensino da palavra". O texto diz que "a ideia agradou a todos" (At 6.1-5).

O pastor batista Ed René Kivitz traça um paralelo entre a escolha desses sete homens e uma escolha que havia ocorrido pouco tempo antes, naquela mesma comunidade liderada pelos mesmos apóstolos: a do substituto de Judas Iscariotes, que havia se matado após trair Jesus. O episódio está narrado em Atos 1.20-26. Pedro inicia a reunião citando versículos das Escrituras, e em seguida a comunidade de discípulos faz uma oração conjunta: "Senhor, tu conheces cada coração. Mostra-nos qual destes homens escolheste como apóstolo para substituir Judas neste ministério, pois ele se desviou e foi para seu devido lugar". Então, depois de orar, surpreendentemente, "lançaram sortes e Matias foi escolhido" (At 1.25-26).

Por que os processos foram tão diferentes? O episódio de Atos 1, repleto de liturgia, citação da Bíblia e oração, pedia para que Deus mostrasse a resposta. O de Atos 6, ocorrido pouco tempo depois, colocava o poder de decisão na mão da comunidade. A explicação de Kivitz é que, entre um processo e outro, houve um evento fundamental para a igreja: o derramamento do Espírito Santo, conforme relatado em Atos 2.[27] A partir desse momento, cairia por completo a tradição de lançar sortes para que a vontade de Deus fosse misteriosamente revelada. Agora, o Espírito Santo habita *dentro* de nós (Rm 8.9;

1Co 3.16); portanto, *escolhamos*. Mas escolhamos direito: pessoas boas, sábias, respeitadas. Analisemos currículos, avaliemos trajetórias, verifiquemos o que os postulantes já fizeram que de fato tenha sinalizado o reino de Deus; então, nós, a comunidade, o encarregaremos desse serviço.

Só mesmo uma religiosidade mágica e infantil pode explicar que citação de versículos, presença em eventos religiosos e oração diante das câmeras tenham mais valor que o reconhecimento público e a sabedoria que a Bíblia recomenda. Os políticos, contudo, estão cientes dessa infantilidade, e seus departamento de *marketing* têm tirado disso o máximo proveito.

A esta altura do capítulo, alguns leitores podem estar se perguntando: não é algo positivo um presidente que mencione com frequência o nome de "Deus"? Qual o problema com um embaixador que cita a Bíblia no grego? Não é um bom sinal contar com políticos que se alinhem publicamente aos grupos evangélicos?

É bem verdade que ninguém tem o direito de sondar o coração de outra pessoa a fim de julgar sua sinceridade. Mas também é verdade que, no Evangelho de Mateus, Jesus nos deixa um alerta útil para todas as horas: "Tenham cuidado! Não pratiquem suas boas ações em público, para serem admirados por outros, pois não receberão a recompensa de seu Pai, que está no céu" (Mt 6.1). Mais à frente, diz também: "Quando vocês orarem, não sejam como os hipócritas, que gostam de orar em público nas sinagogas e nas esquinas, onde todos possam vê-los. Eu lhes digo a verdade: eles não receberão outra recompensa além dessa" (Mt 6.5).

Difícil não lembrar da oração na casa de Bolsonaro na noite de sua eleição para presidente, saudada por muitos evangélicos como um sinal de que o Brasil estava finalmente se curvando a Deus. Imaginem só: um político orando por outro em nome do Senhor Jesus! O famoso texto de Salmos 33.12, "Feliz é a nação cujo Deus é o SENHOR", aparecia em toda parte nas redes sociais. E, no entanto, um ano depois, quase todos os que, durante a oração, estavam de cabeça baixa e rosto comovido diante das câmeras haviam se afastado do governo, na maioria das vezes de forma escandalosa. Gustavo Bebianno, por exemplo, foi demitido do cargo de ministro da Secretaria-Geral da Presidência e acusado por Bolsonaro e por seu filho Carlos de mentiroso, e veio a público provar, com gravações, que quem mentia era o presidente;[28] morreu de infarto em março de 2020, aos 56 anos, pouco depois de começar a escrever seu livro de memórias, que pretendia chamar de *O primeiro traído*.[29] Alexandre Frota foi expulso do PSL, então partido do presidente, após criticar abertamente a indicação de outro filho de Bolsonaro, Eduardo, à embaixada brasileira nos Estados Unidos.[30] Depois de sua expulsão, Frota divulgou áudio de uma conversa que teve com o pastor Silas Malafaia, na qual o evangélico se dizia "profundamente decepcionado" com a "sacanagem" que foi Bolsonaro não ter cedido nenhum ministério para Magno Malta.[31] O próprio Malta, autor da famosa oração, perderia seu papel de conselheiro para outro pastor, o deputado Marco Feliciano, e cairia no ostracismo.[32] Onyx Lorenzoni, que começou 2019 como ministro-chefe da Casa Civil, perdeu prestígio junto ao presidente e foi transferido para o Ministério da Cidadania; em seu lugar, assumiu um general, Walter Souza Braga Netto.

É por isso que o melhor caminho para que o reino de Deus seja sinalizado na política não passa pelo discurso religioso aprendido com televangelistas, muito menos pelo duvidoso mérito de serem fracos, vis e desprezíveis, mas pela democracia, aquela que é "a pior forma de governo, com exceção de todas as demais", nas célebres palavras de Winston Churchill. É na democracia que nós, com nossas diferenças de expectativas e necessidades, devemos escolher, com rigor, como orientaram os apóstolos, mulheres e homens respeitados e sábios, a fim de que executem devidamente o serviço para o qual foram eleitos.

6
Paz

> Felizes os que promovem a paz, pois serão chamados filhos de Deus.
>
> MATEUS 5.9

O anglicano John Stott serviu como capelão da rainha Elizabeth II durante toda a década de 1960. Juntos, o pastor e a rainha viram a vetusta Inglaterra se transformar na "Swinging London": os Beatles revolucionavam o mundo da música, a estilista Mary Quant lançava a minissaia, os filmes de James Bond celebravam o sexo casual, os jornais publicavam petições pela liberação da maconha, a pílula anticoncepcional se tornava parte da vida das mulheres. Stott também viu o conceito de paz ser ampliado, ganhando novas facetas — do "Dê uma chance à paz" de John Lennon à "paz" induzida pela alienação das drogas psicoativas. De fato, o entendimento do que é paz se tornou variado e subjetivo, correspondendo, basicamente, àquilo que resolve os *meus* conflitos.

Quando, em 1978, John Stott escreveu seu famoso estudo sobre o Sermão do Monte, escolheu um título provocativo para o livro: *Christian Counter-Culture*, ou "Contracultura cristã". Sua proposta era mostrar que as palavras de Jesus no Sermão do Monte são as que mais se aproximam de um manifesto, "pois descrevem o que ele desejava que os seus seguidores fossem e fizessem".[1] Atento à contracultura jovem de sua década e da anterior, Stott afirma que "a juventude de hoje está à procura das coisas certas (significado, paz, amor, realidade)", mas que "ela as tem procurado nos lugares errados". Stott tampouco alivia para o cristianismo de sua época, dizendo que, com demasiada frequência, o que os jovens veem nas igrejas "não é a contracultura, mas o conformismo; não uma nova sociedade que concretiza seus ideais, mas uma versão da velha sociedade a que renunciaram; não a vida, mas a morte".[2] Stott afirma que se a igreja tivesse aceitado realisticamente os padrões e valores do Sermão do Monte, "ela teria sido a sociedade alternativa que sempre tencionou ser, e poderia oferecer ao mundo uma autêntica contracultura cristã".[3]

O Sermão do Monte é um discurso feito por Jesus no início de seu ministério, e considerado um dos mais importantes da história mundial. Nesse sermão, o pensamento de Jesus aparece organizado em diversos segmentos, que dão novo significado à relação dos judeus com sua religião, incluindo os mandamentos de Moisés, as práticas da oração, do jejum, da caridade etc. O trecho inicial, aliás, é o mais contracultural no sentido pretendido por John Stott. Trata-se de passagem conhecida como "As bem-aventuranças" (Mt 5.3-12).

Jesus descreve ali o caráter do cristão, os traços que distinguiriam seus seguidores do mundo ao redor. Em suas palavras, bem-aventurados — ou felizes — são os pobres de espírito, os que choram, os humildes, os que têm fome e sede de justiça, os misericordiosos, os que têm coração puro, os que promovem a paz, os que são perseguidos por causa da justiça. Stott ressalta o fato de que Jesus faz questão de começar seu sermão "contradizendo todos os juízos humanos e todas as expectativas nacionalistas" sobre a vontade de Deus: "O reino é concedido ao pobre, não ao rico; ao frágil, não ao poderoso; às criancinhas bastante humildes para aceitá-lo, não aos soldados que se vangloriam de poder obtê-lo através de sua própria bravura".[4] Pensando bem, talvez seja a proposta mais contracultural jamais oferecida por qualquer líder a seus discípulos.

Uma das qualidades recomendadas por Jesus é a pacificação: "Felizes os que promovem a paz, pois serão chamados filhos de Deus" (Mt 5.9). Pacificar significa apaziguar, tranquilizar, acalmar os ânimos exaltados, o que pode nos trazer à mente nossos irmãos cristãos que atuaram em conflitos étnicos, guerras civis e impasses diplomáticos, ganhadores do Prêmio Nobel da Paz como Martin Luther King Jr., Madre Teresa de Calcutá, Kofi Annan e Abiy Ahmed Ali. Mas as palavras de Jesus no Sermão do Monte são dirigidas também a pessoas comuns, como você e eu, e não apenas a líderes ou diplomatas. Seja um jornalista, deputado, engenheiro, psicólogo, motorista de ônibus ou um soldado em zona de conflito, felizes seremos se, em nosso caráter, estiver a marca da pacificação.

A Bíblia nos diz que, por meio de Jesus, "o Pai fez as pazes com todas as coisas" (Cl 1.20), e que, "promovendo a paz", uniu judeus e gentios em uma nova humanidade (Ef 2.14-15). É por isso que os pacificadores serão reconhecidos como filhos de Deus: porque Deus é um Deus de paz, e com ele aprendemos a promover a paz.

O que, claro, tem muito a ver com relacionamentos — com a dignidade e o respeito que dispensamos aos que cruzam nosso caminho. Quando escreve à igreja de Éfeso, o apóstolo Paulo recomenda a seus leitores que vivam segundo o exemplo de Jesus (Ef 5.1—6.9), evitando piadas vulgares, obscenidades e conversas tolas; uma vida em que o amor e o respeito sejam a marca do relacionamento entre esposas e maridos; em que filhos obedecem aos pais e pais não irritam os filhos;

em que empregados cumprem as ordens de seus empregadores e empregadores tratam seus empregados com dignidade. No final da carta, Paulo nos lembra de que "não lutamos contra inimigos de carne e sangue, mas contra governantes e autoridades do mundo invisível, contra grandes poderes neste mundo de trevas e contra espíritos malignos nas esferas celestiais" (Ef 6.12). Ou seja, cada vez que promovemos a paz, estamos desarmando planos diabólicos. De igual modo, cada vez que cerramos os punhos e proferimos palavras de zombaria e agressão, estamos nos colocando a serviço desses mesmos espíritos malignos.

Durante suas duas primeiras décadas como parlamentar, Jair Bolsonaro era, basicamente, um personagem restrito à cobertura política local, da imprensa do Rio de Janeiro, e ainda assim apenas em pautas que envolvessem o interesse dos militares. É verdade que antes disso já dispunha de um considerável repertório de polêmicas, mas sua fama de destemperado e agressivo só ganhou os holofotes nacionais na década de 2010. Não coincidentemente, na mesma época da explosão das redes sociais no Brasil.

O Facebook abriu escritório no país em 2011. Naquele mesmo ano, o número de usuários cresceu 298%, alcançando a já expressiva marca de 35 milhões.[5] Em 2018, o número havia quase quadruplicado,[6] e ao final de 2019 o Brasil era seu terceiro maior usuário no mundo — o primeiro se somadas todas as redes sociais e aplicativos pertencentes ao grupo de Mark Zuckerberg, como Instagram e WhatsApp.[7] Àquela altura, o brasileiro havia se tornado o segundo povo no planeta a passar mais tempo conectado às redes sociais: 3h45 por dia, atrás apenas dos filipinos e dos tailandeses.[8] Foi ao longo dessa década que Jair Bolsonaro saiu do pequeno *Blog Família Bolsonaro* que dividia com os filhos para se transformar em um dos maiores fenômenos das redes sociais do país, com 16,5 milhões de seguidores no Instagram (mais que a apresentadora Xuxa Meneghel), 6,5 milhões no Twitter (mais que Ana Maria Braga), 2,9 milhões de inscritos em seu canal do YouTube (um milhão a mais que Ivete Sangalo) e 10,5 milhões no Facebook (quase o dobro do cantor Roberto Carlos). São 94,9 milhões de seguidores somados. Para comparar, o ex-presidente Lula tem 25,9 milhões.[9]

Um estudo da Fundação Getúlio Vargas concluiu que as publicações de Bolsonaro com maior repercussão eram justamente as que abordavam temas polêmicos e as que incluíam ataques à mídia, a jornalistas e a outros políticos.[10] Em 2019, seu primeiro ano como presidente, suas redes cresceram 43% e chegaram ao expressivo número de 731 milhões de interações.[11]

Em parte, o estilo belicoso de Bolsonaro nas redes sociais é um desdobramento de sua imagem pública como deputado — envolvido em polêmicas como a de ter dito à colega Maria do Rosário que ela não merecia ser estuprada por ser "muito feia"[12] — e também da imagem que os veículos de mídia construíram dele. Mas seria injusto resumi-lo a isso.

A verdade é que as redes sociais recompensam a agressividade. Um *post* "perfeito" é o que consegue gerar no leitor uma carga emocional suficiente para compartilhá-lo de imediato — seja por identificação, seja por repulsa. Não à toa, a publicação com maior engajamento do presidente Bolsonaro em seus primeiros meses de governo foi o infame tuíte "o que é golden shower?", acompanhado de um vídeo em que uma pessoa urinava sobre a outra durante o carnaval de rua de São

Paulo. A publicação repercutiu tanto entre o público conservador, como um exemplo da promiscuidade do carnaval, quanto entre o público perplexo com a falta de decoro de um presidente da República.

Esse espírito de confronto não é criação de Bolsonaro, nem é exclusividade do público brasileiro. Um estudo de 2014 com os usuários do Weibo (uma rede social chinesa semelhante ao Twitter) revelou que *posts* que denotassem raiva tinham capacidade viral muito maior que os que denotassem tristeza ou alegria.[13] Isso chamou a atenção de pesquisadores da Universidade de Nova York,[14] que mapearam a repercussão de milhares de *posts* nas redes sociais e concluíram que usar palavras que denotem "emoção moral" multiplica a capacidade de engajamento em até vinte vezes. Em português, seriam palavras como "ridículo", "patético", "absurdo", "vergonha", "lixo", "repugnante", "ultrajante", e outras similares. Some-se a estes um estudo sobre o efeito nas redes sociais daquilo que a psicologia chama de "viés da negatividade", segundo o qual o ser humano costuma ter uma lembrança mais vívida de experiências ruins que de experiências positivas.[15] Há profissionais muito bem pagos estudando cada "curtida" e cada "compartilhamento" nas redes sociais para entender como esse viés da negatividade pode ser mais e mais explorado para vender seus serviços, produtos e, é claro, seus políticos.

É por isso que, até mesmo ao apresentar uma notícia positiva (como bons números da economia ou de emprego), é comum que esses influenciadores virtuais o façam com um viés negativo, ofendendo os adversários políticos ou a imprensa. Por exemplo, uma entrevista do *site* conservador Brasil Sem Medo com a doutora em política educacional Ilona

Becskeházy sobre educação básica, apesar de uma abordagem positiva, começa reclamando "do bombardeio diário de dados venenosos, urros, xingamentos, golpes rasteiros, facadas virtuais, ofensas, chiliques, imprecações, maledicências, faniquitos e, principalmente, *fake news* contra o governo Bolsonaro".[16] Não há relação alguma com o restante do conteúdo, tão somente a necessidade de levar agressividade e comoção moral para o trecho mais rastreado pelos mecanismos de classificação de relevância.

(Neste ponto, interrompi por alguns instantes meu trabalho de redação para consultar os perfis nas redes sociais de dois dos conselheiros públicos do presidente Bolsonaro, o pastor Silas Malafaia e o influenciador Olavo de Carvalho. A maioria esmagadora dos conteúdos recentes, em ambos os casos, eram publicações ridicularizando políticos e eleitores de esquerda, jornalistas e até figuras de seu próprio campo ideológico, recorrendo frequentemente a termos como "bandidagem", "canalhas", "esquerdopata", "cambada de palhaços" etc. Tais publicações são, de longe, as que obtêm maior engajamento e compartilhamento, o que comprova os estudos apontados acima. Recomendo ao leitor que faça o mesmo exercício assim que terminar de ler este capítulo, seja em que época for.)

Em outubro de 2019, a deputada federal Joice Hasselmann, importantíssimo cabo eleitoral de Bolsonaro durante sua campanha à presidência, rompeu com o governo e passou a sofrer diversas agressões pelas redes sociais. (Carlos Bolsonaro, filho do presidente, chegou a usar um *emoji* de uma porca para se referir a ela.) Em depoimento à CPMI das Fake News, Joice disse que Carlos e seu irmão Eduardo comandariam uma equipe que atuava dentro do Palácio do Planalto, montado com o propósito de atacar e ameaçar pelas redes sociais desafetos, opositores e críticos da família Bolsonaro. Esse grupo ganhou o apelido de "Gabinete do Ódio", e continuava sendo investigado até o fechamento deste livro. Sobre o assunto, Bolsonaro negou: "Inventaram gabinete do ódio e alguns idiotas acreditaram. Outros idiotas vão até prestar depoimento, como tem um idiota prestando depoimento uma hora dessas lá".[17]

É possível conciliar o ódio nas redes sociais com a mensagem de Jesus de Nazaré? É possível chamar um opositor de "idiota" ou de "porca" e se dizer seguidor daquele que nos manda oferecer "a outra face" (Mt 5.39)? É possível harmonizar palavras de desprezo, sarcasmo e raiva com a fé em um Livro que nos orienta a evitar "as conversas tolas e as piadas vulgares" (Ef 5.4)? É possível promover a paz enquanto se agride, se ofende e se acirra ânimos já exaltados?

O ensino do apóstolo Paulo é claríssimo: "No que depender de vocês, vivam em paz com todos" (Rm 12.18). Na prática, isso se realiza por meio das palavras que escolhemos usar com os outros, mas também pelo silêncio, algo cada vez mais raro num mundo em que todos queremos nos manifestar a respeito de todos os assuntos. O teólogo galês Martyn Lloyd-Jones, em seus *Estudos no Sermão do Monte*, diz que ser pacificador significa, "em primeiro lugar e acima de tudo, que a pessoa aprende a não falar o que não deve", e prossegue: "Se ao menos todos pudéssemos controlar a língua, haveria muito menos discórdia no mundo".[18]

Não são poucos os analistas políticos que explicam o segundo turno das eleições de 2018 como um desejo da população brasileira de testemunhar um espetáculo de sangue entre petismo e antipetismo, esquerda e direita, conservadorismo e progressismo[19] — como se fôssemos todos espectadores romanos vibrando diante de uma batalha de gladiadores no Coliseu, ou quem sabe adolescentes assistindo a uma briga na saída da escola. Entre os candidatos do primeiro turno, não eram poucos os que tinham mais experiência administrativa, menos acusações de corrupção, mais fervor religioso, propostas ideologicamente mais definidas do que Fernando Haddad e Jair Bolsonaro. Mas só Haddad e Bolsonaro poderiam sangrar um ao outro diante das telas com tamanha brutalidade, e foi exatamente esse o espetáculo horrível que pagamos para assistir — a ponto de, quase dois anos depois, ainda emergirem notícias de espalhamento ilegal de *fake news* de um lado e de outro contra seu oponente.[20]

Diante da sede de sangue do público, da tentação de sucesso das redes sociais, e da cultura de ridicularizar o outro com palavras humilhantes e zombadoras, fica claro a diferença entre a cultura vigente do século 21 e a contracultura cristã de paz de todos os tempos. Fica claro também porque a mensagem de Jesus é tão desafiadora e tão necessária hoje em dia.

A paz de Deus não tem a ver com homogeneidade. Pelo contrário, ela *pressupõe* diversidade e complementariedade. Leia Efésios 4 e perceba que o texto é um incentivo para que os cristãos se mantenham "ligados pelo vínculo da paz" (Ef 4.3). Bem, se é necessário haver um incentivo, é porque nossa tendência natural, humana, é o afastamento, o isolamento, o orgulho, ou, como dizemos hoje em dia, a polarização. Deus nos fez diferentes, e são nossas diferenças que nos fazem necessários uns aos outros. Infelizmente, há sempre o risco de sermos imaturos (Ef 4.14) e endurecermos o coração (Ef 4.18) a ponto de enxergarmos nossas diferenças como algo que nos separa, em vez de algo que nos complementa. A Bíblia chama essa complementariedade, absolutamente contracultural, de "vínculo da paz".

Se estamos dispostos a ter paz apenas com quem está alinhado com nossas visões religiosas ou políticas, então não somos pacificadores — somos apenas escravos da cultura de guerra que domina as redes sociais. Com sorte, talvez encontremos a paz como o mundo a oferece. Mas de forma alguma poderemos nos apresentar como filhos do Deus de paz.

7
"Não toquem no ungido do Senhor"

> Ninguém será considerado inocente se atacar o ungido do SENHOR!
>
> 1SAMUEL 26.9

Construindo sua imagem à semelhança dos líderes religiosos carismáticos de tantas igrejas evangélicas brasileiras, Jair Bolsonaro se vendeu como o porta-voz da verdade; o escolhido livrado da morte para salvar o Brasil; aquele que, a despeito de seu despreparo, contava com Deus para capacitá-lo; o único com a coragem para interromper o avanço das minorias e proteger os crentes dos perigos do "mundo". Depois de meses e anos investindo nessa construção, colheu exatamente o que colhem esses líderes religiosos: a submissão incondicional.

O senador Magno Malta já havia afirmado diante das câmeras, logo após a contagem dos votos do segundo turno, que "quem unge a autoridade é Deus" e que "o Senhor ungiu Jair Bolsonaro" como presidente. Alguns meses depois, em uma celebração no Templo de Salomão, a sede da Igreja Universal do Reino de Deus no bairro paulistano do Brás, Jair Bolsonaro foi literalmente ungido, com óleo, pelo bispo Edir Macedo. O dono da TV Record anunciou que estava consagrando o presidente "como o profeta Samuel um dia consagrou o rei Davi".[1]

O episódio bíblico a que Macedo se refere está em 1Samuel 16.13: "Samuel pegou a vasilha de óleo que havia trazido e o ungiu. A partir daquele dia, o Espírito do SENHOR veio poderosamente sobre Davi".

Literal ou não, em várias igrejas evangélicas carismáticas a "unção" contribui para a mistificação de seus líderes. Uma vez "ungido", o líder está protegido debaixo de uma conveniente interpretação de 1Samuel 26.9 ("Ninguém será considerado inocente se atacar o ungido do SENHOR!") e, portanto, imune a críticas e eventuais denúncias de abusos. Segundo esse raciocínio, quem critica está em pecado igual ou maior do que aquele que pretende denunciar. Assim, em vez de criticar, cabe ao crente dedicar-se à oração ou, no máximo, afastar-se silenciosamente.

Em 2012, durante um congresso organizado pela Associação Vitória em Cristo, da qual é presidente, o pastor Silas Malafaia falou sobre os "idiotas, imbecis travestidos de crentes", que ousavam criticar os líderes religiosos: "Quem é que toca no ungido do Senhor e fica impune? Ungido do Senhor é problema do Senhor, não teu. Teu pastor é ladrão? É pilantra? Você não está gostando? Sai de lá e vai para outra igreja. Não se mete nisso, não, porque não é da tua conta. Cai fora. Vai embora [...]. Só não arruma problema. Não toca em ungido. [...] Eu já vi gente morrer por causa disso".[2] O pastor Lucinho Barreto, da Igreja Batista da Lagoinha, chegou a comparar o "tocar no ungido do Senhor" da Bíblia com "ir para a rede social e falar mal porque o cara errou". Segundo ele, o correto em casos de erros de líderes é "orar pela pessoa". "Mas... pelas nossas mãos? Nós vamos fazer a pessoa sangrar pelas nossas mãos?"[3]

Tanto Malafaia quanto Lucinho, a exemplo do que fazem tantos outros pastores, estão basicamente se referindo a uma passagem importante do Antigo Testamento, que narra os confrontos entre Davi e Saul, o primeiro rei de Israel. Tão desastroso era o governo de Saul que Deus orientou o profeta Samuel a procurar um substituto, Davi. À medida que a narrativa avança, Saul passa de um incompetente bem-intencionado para um obcecado consumido pelo ciúme e pelo desejo de matar Davi, recrutando seus melhores soldados para capturar o rival.

Em 1Samuel 24, Davi está refugiado no deserto de En-Gedi. A Bíblia conta que, durante as buscas, Saul entrou sozinho numa caverna "para fazer suas necessidades". Coincidentemente, Davi estava ali com seus homens, que viram a situação como uma oportunidade única de matar aquele que o perseguia. Davi chega a se aproximar do rei com uma faca, mas desiste depois de apenas cortar um pedaço da roupa dele: "Que o Senhor me livre de fazer tal coisa ao meu senhor, o ungido do Senhor, e atacar aquele que o Senhor ungiu como rei" (1Sm 24.6). Então, volta para seus homens e os convence a deixar Saul partir.

Pouco tempo depois, no episódio narrado em 1Samuel 26, a situação se repete, desta vez "na colina de Haquilá, em frente ao deserto de Jesimon". Davi está novamente escondido, e Saul parte com "três mil dos melhores soldados de Israel" para capturá-lo. À noite, Davi decide investigar o acampamento que o rei havia montado e o encontra dormindo. O sobrinho de Davi, Absai, que o acompanhava, diz: "Certamente desta vez Deus entregou o inimigo em suas mãos! Agora, deixe-me cravá-lo na terra com um só golpe de lança. Não precisarei de outro!" (1Sm 26.8). Davi, que já havia passado por experiência semelhante em En-Gedi, não teve dúvidas: "Não o mate!", disse. "Ninguém será considerado inocente se atacar o ungido do Senhor! Por certo o Senhor ferirá Saul algum dia, ou ele morrerá de velhice, ou na batalha. Que o Senhor me livre de matar o homem que ele ungiu!" (1Sm 26.10-11)

O leitor mais atento já deve ter notado como as lideranças atuais tiram o texto de seu contexto original. Evidentemente, o que a Bíblia descreve nos episódios relacionados a Saul e Davi diz respeito a *assassinar* ou não um rei. "Atacar" é, aqui, um eufemismo para *matar* — e não para "criticar", "discordar" ou "ir para as redes sociais falar mal".

Mas há outra distorção. Nos dois episódios, logo após negar-se a matar Saul, Davi não se retira discretamente como sugerem alguns, nem ora em segredo como indicam outros. Pelo contrário, ele se dirige ao rei com palavras fortes:

> Que o Senhor julgue entre nós dois. Talvez o Senhor castigue o rei por aquilo que procura fazer contra mim, mas eu jamais lhe farei mal. Como diz o antigo provérbio: "De pessoas perversas vêm atos perversos", por isso o rei pode estar certo de que eu jamais lhe farei mal. [...] Que o Senhor julgue entre nós dois e mostre quem está certo! Que ele seja meu defensor e me livre de suas mãos!
>
> 1Samuel 24.12-13,15

> Por que meu senhor persegue seu servo? O que eu fiz? Qual é meu crime? Agora, porém, peço que o rei ouça seu servo. Se o Senhor incitou o rei contra mim, então que ele aceite minha oferta. Mas, se isso tudo não passa de um plano de homens, que o Senhor os amaldiçoe!
>
> 2Samuel 26.18-19

Em ambos os casos, Davi confrontou o "ungido do Senhor" publicamente. E, ao contrário de muitos líderes inacessíveis de nossas igrejas, Saul ouviu as críticas e, ainda que momentaneamente, se arrependeu de sua conduta.

Toda a história do rei Saul, para além de seus confrontos com Davi, apresenta lições valiosas para uma cosmovisão política madura para os cristãos. Por cerca de dois séculos após a morte de Josué os israelitas viveram em um regime sem poder central constituído: "Naqueles dias, Israel não tinha rei; cada um fazia o que parecia certo a seus próprios olhos" (Jz 17.6; 21.25). A organização popular na época consistia, basicamente, em uma complicada associação de tribos, com as decisões sendo tomadas em assembleias lideradas por chefes de clãs. Em casos extraordinários, Deus levantava os "juízes" — que, apesar do título, não eram magistrados, mas líderes militares carismáticos como Jefté ou profetas como Samuel. Entretanto, por volta de 1.020 a.C., irrompe um movimento popular entre os israelitas, pedindo por um rei. O pano de fundo era o medo das invasões dos filisteus, que àquela altura dominavam a rara manipulação do ferro e, com seu armamento de guerra, constituíam uma ameaça real e constante às tribos de Israel. O relato na Bíblia registra a insatisfação do povo: "Escolha um rei para nos julgar, como ocorre com todas as outras nações" (1Sm 8.5).

Samuel entendeu aquilo como uma rejeição do povo ao próprio Deus, seu único e verdadeiro Soberano. Ainda assim, Deus consentiu — sua única exigência foi pedir a Samuel que advertisse os israelitas para que não idealizassem demais o novo sistema de governo. Vale citar na íntegra essa advertência:

> Este é o modo como o rei governará sobre vocês. Ele convocará seus filhos para servi-lo em seus carros de guerra e como seus cavaleiros e os fará correr à frente dos carros dele. Colocará alguns como generais e capitães de seu exército, obrigará outros a arar seus campos e a fazer as colheitas e forçará outros mais a

fabricar armas e equipamentos para os carros de guerra. Tomará suas filhas e as obrigará a cozinhar, assar pães e fazer perfumes para ele. Tomará de vocês o melhor de seus campos, vinhedos e olivais e os dará aos servos dele. Tomará um décimo de sua colheita de cereais e uvas para distribuir entre seus oficiais e servos. Tomará seus escravos e escravas e o melhor do gado e dos jumentos para uso próprio. Exigirá um décimo de seus rebanhos, e vocês se tornarão escravos dele. Quando esse dia chegar, lamentarão por causa desse rei que agora pedem, mas o Senhor não lhes dará ouvidos.

1Samuel 8.11-18

Diante das palavras de Samuel, a resposta do povo chega a ser cômica: "Mesmo assim, queremos um rei" (1Sm 8.19). Esse rei seria Saul.

Vindo de uma família de elite da tribo de Benjamim, considerado "o jovem mais atraente de todo o Israel" (1Sm 9.2), escolhido por designação profética e, importante mencionar, ungido pelo próprio Samuel, Saul se encaixava perfeitamente na fantasia criada pelo povo. De fato, a princípio revelou-se um comandante militar habilidoso, capaz de enfrentar em pé de igualdade os filisteus. Mas também era intempestivo e despreparado, e logo provocou sua própria ruína ao assumir atribuições que cabiam exclusivamente à classe sacerdotal (1Sm 13.8-14).

Quando Davi entra em cena, Saul passa a ser consumido pela inveja, pela insegurança, pela paranoia. A energia que deveria ser empregada para governar em prol do povo é, agora, canalizada quase que exclusivamente para perseguir aquele que ele fantasiava ser seu inimigo.

Feito rei pelo clamor popular, bem-apessoado, militar habilidoso, "ungido do Senhor" — nada disso impediu que Saul fizesse um governo patético. E nenhuma unção impediu que a própria Bíblia registrasse seus erros, nem que ele, como figura pública, fosse repreendido publicamente ainda em vida.

Quando Magno Malta afirma em sua oração que "quem unge a autoridade é Deus", parece evidente sua tentativa de forçar uma relação entre a tradição hebraica com o ensino dos apóstolos a respeito da autoridade do Estado. Para Davi, dizer que Saul era um "ungido do SENHOR" tinha conotações ritualísticas (o rei de fato havia sido empossado numa cerimônia que envolvia o derramamento de óleo das mãos de um profeta). Quando Paulo, séculos depois, afirma que "toda autoridade vem de Deus" em Romanos 13.1, o contexto é completamente outro.

Comecemos dizendo o óbvio: sua carta foi escrita para cristãos que moravam em Roma, a sede do Império que havia transformado a Judeia numa província e a subjugava com pesados impostos e o cerceamento de vários direitos. Durante o governo de Cláudio César, por exemplo, os judeus chegaram a ser expulsos da cidade em meio a uma política de valorização dos cultos romanos. A carta de Paulo coincide com o reinado de Nero, que permitiu o retorno dos cristãos a Roma — os quais, desconfiados, viam-se sempre divididos entre a submissão e a desobediência civil.

A carta aos romanos funciona como uma espécie de apresentação do ministério de Paulo para uma comunidade que não o conhecia pessoalmente. Trata-se, também, de uma belíssima síntese do evangelho e da lógica da graça divina, que se aplicava tanto a leitores com raízes no judaísmo quanto a gregos — e, de fato, a todo o mundo. Assim, quando chega a Romanos 12, o apóstolo começa a explicar como se dá a vida daquele que crê em Jesus Cristo, e introduz o conceito de "sacrifício vivo" (Rm 12.1), o evangelho que se manifesta na vida cotidiana. A relação do cristão com o Estado, conforme declarado em Romanos 13.1, seria uma das aplicações práticas desse "sacrifício vivo".

Assim, ao dizer em Romanos 13.2 que "quem se rebela contra a autoridade se rebela contra o Deus que a instituiu e será punido", Paulo está desestimulando a ideia de que ser um cristão em Roma necessariamente equivalia a ser um rebelde contra o Império. É evidente que Paulo não está, de maneira alguma, insinuando que Deus ungiu Nero "como o profeta Samuel um dia consagrou o rei Davi" só porque ele é uma autoridade constituída. O que Paulo está dizendo é que, em geral, as leis e as autoridades são ferramentas que Deus usa para organizar o caos, proteger os vulneráveis, dignificar o ser humano, recompensar os bons e punir os maus. "É por esse motivo também que vocês pagam impostos", diz o apóstolo (Rm 13.6). É exatamente a mesma lógica do que escreveria Pedro em outra carta: "Por causa do Senhor, submetam-se a todas as autoridades humanas, seja o rei como autoridade máxima, sejam os oficiais nomeados e enviados por ele para castigar os que fazem o mal e honrar os que fazem o bem" (1Pe 2.13-14).

Embora poucos teólogos discordem da interpretação acima, a verdade é que, na prática, os textos de Romanos 13 e 1Pedro 2 são, há séculos, usados erroneamente para justificar o apoio institucional da igreja a governos das mais diversas inclinações ideológicas. Foi assim que Lutero apoiou os latifundiários alemães na guerra contra os camponeses em 1524–1525, que a Igreja Ortodoxa Russa apoiou os esforços de guerra de Josef Stálin durante a Segunda Guerra Mundial, que o papa Pio XI ajudou a consolidar o fascismo de Benito

Mussolini na Itália, que católicos e protestantes em massa aceitaram a dança macabra de Adolf Hitler na Alemanha nazista, e que padres e pastores brasileiros entregaram seus irmãos na fé para a polícia política durante o regime militar.

(Neste ponto, sinto-me no dever de lembrar, especialmente ao leitor ateu e não cristão, que incontáveis cristãos puseram a própria vida em risco ao se levantar contra regimes e leis diabólicas. O pastor luterano Dietrich Bonhoeffer, por exemplo, foi preso em virtude de um controverso plano para matar Hitler e acabou enforcado numa cela nazista semanas antes do fim da Segunda Guerra Mundial. O pastor batista Martin Luther King Jr. cruzou os Estados Unidos promovendo o que ele chamava de "crises pacíficas" a fim de debater o racismo e os direitos civis; foi assassinado em 1968. O pastor chinês Wang Zhiming liderou a resistência pacífica durante a Revolução Cultural Chinesa e morreu como mártir em 1973. O arcebispo católico Óscar Romero transformou seu programa de rádio na "voz dos sem voz" da El Salvador dos anos 1970; enquanto celebrava uma missa em março de 1980, foi fuzilado por um atirador de elite do exército salvadorenho. E isso para não falar de tantos outros irmãos e irmãs que entenderam que, se toda autoridade vem de Deus, nem sempre, ou quase nunca, o ser humano a exerce de forma digna.)

Não há respaldo bíblico para afirmar que cristãos, quando necessário, não devem criticar ou confrontar as autoridades, incluindo os líderes religiosos. Pelo contrário: em 1Timóteo 5.19-20, Paulo até ensina seu discípulo Timóteo sobre como proceder quando houver denúncias contra pastores: com justiça ("Não aceite acusação contra um presbítero sem que seja confirmada por duas ou três testemunhas") e com repreensão pública ("Aqueles que pecarem devem ser repreendidos diante de todos, o que servirá de forte advertência para os demais"). O teólogo presbiteriano Augusto Nicodemus resumiu a questão do seguinte modo: "'Não toque no ungido do Senhor' é apelação de quem não tem argumento nem exemplo para dar como resposta".[4]

A afirmação de que Jair Bolsonaro seria um "ungido do Senhor" pode ter ficado restrita ao palco do Templo de Salomão, mas seu efeito prático foi eficaz. Quem critica o presidente está "torcendo contra"; quem o fiscaliza é "inimigo do Brasil"; quem é cristão deve guardar suas denúncias para si e apenas orar. Isso explica, em parte, uma tendência curiosa a respeito da aprovação do governo Bolsonaro: embora as pesquisas de popularidade mostrem que sua reprovação tenha crescido ao longo do tempo, o grupo que considera seu desempenho ótimo/bom se mantém intocável.[5] Por outro lado, é importante lembrar que, se o endosso acrítico não é bíblico, a rebeldia e a desobediência também não são. Um povo empenhado em "viver em paz com todos" precisa aprender a criticar sem ofender e a discordar sem grosseria. Palavras violentas, emocionalismo moral e zombarias não deveriam jamais ser usados por seguidores de Jesus contra autoridades — na verdade, contra qualquer cidadão de pensamento diferente do nosso. Nas redes sociais, um bom início seria interromper o ciclo de compartilhamento de *memes*, linchamentos virtuais, montagens e apelidos feitos com o objetivo de humilhar e ridicularizar. Como Davi se posicionou contra Saul, precisamos aprender a discutir ideias e discordar em amor, e para isso não precisamos (aliás, não devemos) desqualificar as pessoas. Criticar o que for assunto privado em particular, e o que for assunto público e coletivo com serenidade e argumentos — indo, como diz o ditado, na bola, e não no jogador.

O filósofo francês Jacques Ellul entendia a relação bíblica dos cristãos com os governantes como um desdobramento do ensino de Jesus sobre amar nossos inimigos e orar pelos que nos perseguem (Mt 5.42-43). É essa atitude que Paulo ensina aos romanos ao falar de um amor que, como uma onda, cobre progressivamente os amigos da igreja (Rm 12.3-8), todas as pessoas (12.9-13), chega até os inimigos (12.14-21) e se manifesta ainda como respeito aos governantes (Rm 13.1). É sob esse mesmo espírito que Paulo escreve a seu discípulo Timóteo ensinando-o a orar "em favor de todos, em favor dos reis e de todos os que exercem autoridade" (1Tm 2.1-2). E o motivo está explícito logo abaixo: porque Deus quer que todos sejam salvos e conheçam a verdade (1Tm 2.3-4). Ellul cita como exemplo os irmãos da Igreja Confessante alemã da década de 1940, que, enquanto criticavam o nazismo publicamente e se envolviam em movimentos de resistência e até em complôs para derrubar Hitler, também oravam por seu inimigo. Não porque Hitler fosse "ungido do Senhor", mas porque entendiam que Deus é amor, se importa com os que sofrem nas mãos de tiranos e quer que todos, indistintamente, sejam salvos e conheçam a verdade.[6]

Sempre penso no que o profeta Samuel diria caso uma multidão de evangélicos brasileiros o procurasse exigindo uma quebra na ordem política de seu país, idealizando alguém "para nos julgar, como ocorre com todas as nações". Imagino Samuel se entristecendo ao ver tantos crentes depositando suas expectativas não em Deus, mas em políticos. Depois, penso que nos advertiria sobre aquela fantasia: "Este é o modo como este político governará sobre vocês". E, então, o profeta nos lembraria de que políticos trabalharão pensando na própria reeleição, e não no povo, privilegiarão parentes, amigos e apoiadores de campanha, trocarão apoio político da imprensa por verbas publicitárias, corromperão o sistema para servir-se dele em troca de mais dinheiro e/ou mais poder e/ou mais influência, e quem sabe até usarão o nome de Deus para manipular as pessoas. E, dito tudo isso, a multidão responderia: "Mesmo assim, queremos nosso político".

Diante de nossa obstinação infantil e nossa necessidade de heróis humanos, Deus diria: "Faça o que eles pedem", e nos entregaria à nossa sorte.

8
Esquerda e direita

> De um só homem [Deus] criou todas as nações da terra, tendo decidido de antemão onde se estabeleceriam e por quanto tempo. Seu propósito era que as nações buscassem a Deus e, tateando, talvez viessem a encontrá-lo, embora ele não esteja longe de nenhum de nós.
>
> Atos 17.26-27

A polarização política que tomou conta do Brasil a partir dos primeiros anos da década de 2010 deixou atrás de si uma longa trilha de destruição. Entre os seguidores de Jesus, poucas feridas foram tão doloridas quanto a propagação de ideias como "é impossível ser cristão e ser de esquerda" e "é impossível ser cristão e ser de direita". Por causa desse tipo de convicção, muitos irmãos de fé romperam relacionamentos, companheiros de eucaristia se ofenderam pelas redes sociais, cristãos abandonaram suas comunidades, pastores romperam com seminários. De uma hora para outra, entendemos que não basta mais confessar que Jesus é o Senhor (Rm 10.9). Agora, ao que parece, além de Jesus é preciso algo mais para nos fazer membros do mesmo corpo. É preciso ser de direita. Ou de esquerda.

Trata-se da versão religiosa daquilo que o jornalista Roberto Pompeu de Toledo chamou de "polarização tóxica", que veio crescendo desde 2013 e explodiu na campanha presidencial de 2018, quando "os candidatos que representavam um ponto de equilíbrio entre os extremos foram impiedosamente dispensados pelo eleitorado".[1]

Essa radicalização parece ser mais um dos muitos reflexos da internet na vida real, mais especificamente, da influência que os algoritmos exercem em nosso modo de nos comunicar e pensar. Algoritmos são códigos baseados em inteligência artificial que ajudam a filtrar e personalizar os conteúdos que passam pela tela dos usuários. Cada vez que alguém se manifesta nas redes usando determinadas palavras, curtindo determinadas publicações ou compartilhando determinados textos, essa pessoa está, sem perceber, enviando dados para a inteligência artificial de *sites* como Facebook, Instagram e Twitter. Esses códigos são segredos invioláveis, mas seus efeitos são muito conhecidos: quando você elogia, digamos, um destino turístico ou uma marca de refrigerantes, o *site* "entende" que você quer mais daquilo, de modo que os algoritmos filtram os conteúdos que aparecerão na tela a partir de então. Quanto mais você interage, mais informação envia, e mais específicos se tornam os conteúdos que você vê. Isso se aplica também a tendências políticas: se você se mostrar simpático, por meio de curtidas e compartilhamentos, a conteúdos de viés progressista, as redes sociais lhe oferecerão cada vez mais conteúdos "de esquerda". Se você, por outro lado, interagir com publicações de orientação conservadora, começará a deparar frequentemente com material "de direita".[2]

Uma equipe formada por cientistas sociais e da computação da USP estudou o comportamento dos brasileiros nas redes sociais entre 2013 e 2018 e descobriu que 12 milhões de pessoas interagiam frequentemente com páginas de cunho político (partidos ou políticos, movimentos anticrime, campanhas anticorrupção, movimentos sociais e direitos humanos e ambientais). Em 2013, início do estudo, esse público se distribuía uniformemente em diversos pontos do vetor "esquerda-direita", incluindo até algumas sobreposições (por exemplo, usuários que interagiam com páginas de movimentos LGBT, normalmente associados à esquerda, frequentavam grupos anticorrupção, normalmente associados à direita; seguidores de políticos de direita podiam interagir com movimentos ambientais, e assim por diante). "Isso mudou depois que uma série de protestos sólidos e espontâneos irrompeu pelo Brasil, fraturando a sociedade brasileira", afirmaram os cientistas Pablo Ortellado e Márcio Moretto Ribeiro em artigo para o site *The Conversation*. "No final de 2013, cidadãos da direita política se uniram em torno da questão do combate à corrupção. Os da esquerda se concentraram em programas sociais e serviços públicos. Quando os partidos políticos começaram a colocar essas questões no centro e na frente de suas plataformas, esquerda e direita se separaram, política e socialmente."[3]

Os capítulos seguintes foram assombrosos: quem se inclinava à esquerda passou a interagir apenas com conteúdo tido como "de esquerda"; quem se inclinava à direita, apenas com conteúdo "de direita". Nesta nova realidade polarizada, se você é de esquerda, não pode achar que houve corrupção no governo do PT, por exemplo; se é de direita, não pode ser a favor de leis de incentivo à cultura. (Para se ter uma ideia, certa vez fui repreendido por um leitor por ter escrito que a contracultura cristã é "resistência" à cultura vigente; segundo ele me informou, apenas esquerdistas poderiam usar a palavra "resistência".) Foi essa polarização que nos conduziu ao segundo turno das eleições de 2018, e é essa a polarização que continuou a ser alimentada mesmo após a posse de Jair Bolsonaro — a tal ponto que, mesmo diante de uma pandemia da gravidade do coronavírus em 2020, foi impossível evitar que o debate descambasse para um confronto entre axiomas de direita e de esquerda.

Simplificar a realidade em um alto contraste desses é sempre perigoso, sobretudo quando se procura encaixar o cristianismo em definições tão humanas e imprecisas quanto direita e esquerda. Em parte, porque é um crime contra a narrativa bíblica como um todo, na qual diversas tensões aparentemente conflitantes precisam ser mantidas em prol do equilíbrio. Mas, especialmente, porque os cristãos foram previamente destinados "para se tornarem semelhantes à imagem" de Jesus Cristo (Rm 8.29), e Jesus simplesmente não era assim. Pelo contrário: quando montou sua equipe de colaboradores mais próximos, os doze discípulos, escolheu ao mesmo tempo Simão, o "zelote", um revolucionário anti-imperialista inclinado à luta armada, e também Mateus, um cobrador de impostos a serviço dos romanos (Lc 6.12-16). Seu ministério não se encaixava nos partidos religiosos e políticos de sua época, como o dos fariseus, dos saduceus, dos essênios e dos já mencionados zelotes; em vez disso, Jesus fazia questão de enfatizar que seu reino não era deste mundo (Jo 18.36).

Na época de Jesus, obviamente, não existiam os conceitos de "direita" e "esquerda". Esses termos surgiram durante a Revolução Francesa (1789–1799), em referência à posição que os grupos políticos ocupavam na Assembleia Nacional: os representantes da aristocracia, partidários do rei, da igreja e da sociedade de classes, sentavam-se à direita, ao passo que os representantes da burguesia, os republicanos e os liberais sentavam-se à esquerda. A partir daí, *grosso modo*, ser "de esquerda" passou a significar lutar por igualdade social mesmo à custa das estruturas vigentes, e ser "de direita", por sua vez, passou a significar acreditar na importância da ordem social e da tradição.

Se as coisas fossem assim tão simples, seria fácil: nem Jesus nem os apóstolos jamais se insurgiram abertamente contra as estruturas sociais de sua época, como o imperialismo romano e a escravidão. A Bíblia, aliás, é o livro que, diante do exílio de Israel em terras babilônicas, instrui seu povo a construir casas numa nação estranha, cuidar dos jardins, casarem suas filhas e filhos e buscarem a prosperidade da cidade para a qual Deus os havia deportado, "pois a prosperidade de vocês depende da prosperidade dela" (Jr 29.4-11). Trata-se, nesse aspecto, de uma visão vinculada à direita, favorável às estruturas sociais tal como são.

A mesma Bíblia, contudo, também diz que Deus não faz distinção entre um escravo e seu senhor (Ef 6.9). Seus profetas repreendem os empregadores que "roubam o salário de seus empregados" (Ml 3.5) e advertem que as "vacas gordas", isto é, as "mulheres que oprimem os pobres", um dia "serão levadas com ganchos no nariz" (Am 4.1-2). O apóstolo Tiago, por sua vez, assim repreende os ricos cujo salário foi obtido "de modo fraudulento": "A mesma riqueza com a qual vocês contavam devorará sua carne como fogo" (Tg 5.1-5). É, visivelmente, uma visão de mundo crítica ao *status quo*, associada a uma mentalidade de esquerda.

A Bíblia, como um todo, nos oferta um valoroso equilíbrio. Mas a cultura vigente, a lógica das redes sociais, nos quer divididos e espumando de raiva uns contra os outros.

A sabedoria bíblica disputa espaço com dois demônios contra os quais precisamos lutar diariamente. O primeiro é o populismo. "Há o populismo de direita e o populismo de esquerda", diz o pesquisador alemão Tom G. Palmer. "Ambos têm em comum a rejeição à ideia da sociedade governada pela lei, de processos democráticos deliberativos, de regras. [...] Eles acreditam que há um único povo autêntico, que esse povo tem uma só vontade e que essa vontade é expressa por um só líder".[4]

Para o político populista, é interessante que haja polarização de identidades políticas. Seu trabalho é facilitado: basta atiçar os ânimos e investir em alimentar o ódio pelo grupo oposto. Especialmente em países onde o voto é facultativo, como nos Estados Unidos, o populismo raivoso exclui do processo político todos os moderados e os transforma em "persuasíveis" — que é como a empresa de consultoria política Cambridge Analytica chamava a massa de eleitores manipulados pelas redes sociais no escândalo das eleições de Trump nos Estados Unidos e do Brexit na Inglaterra.[5] No final, a democracia passa a ser gerida não pela maioria de fato, mas pela minoria mais agressiva e engajada e pela manipulação das redes sociais.

O segundo demônio que a sabedoria bíblica enfrenta é a caricatura. "Caricatura" é uma reprodução deformada e exagerada de algo, em geral para efeito cômico, mas que também pode servir para humilhar e ferir. Tanto nos acostumamos a ouvir que toda pessoa que advoga valores ligados à direita é fascista, reacionário e insensível ao pobre que nem percebemos que isso é apenas uma caricatura. Assim como é uma caricatura que todo aquele inclinado a ideias associadas à esquerda seja comunista, "abortista" ou defensor de criminosos em detrimento das vítimas. Isso simplesmente não é verdade. A fim de cultivar o equilíbrio proposto pela Bíblia, precisamos abandonar urgentemente a mania de comparar uma virtude do "nosso" polo com uma caricatura do polo oposto.

Se você é capaz de colocar as armas no chão por alguns instantes, pare e pergunte a si mesmo: será que é preciso ser comunista para entender que o Brasil tem deficiências de oportunidade históricas que precisam ser reparadas de alguma forma? É preciso ter Che Guevara tatuado no braço para se indignar com o fato de que o 1% dos brasileiros mais ricos possui renda 33,8 vezes maior que os 50% mais pobres?[6] É preciso querer um Estado totalitário para reconhecer a importância de um sistema de saúde pública universal como o SUS brasileiro ou o National Health Service britânico?

Por outro lado, será que é preciso ser um liberal insensível para reconhecer o papel fundamental que a economia de mercado desempenhou na diminuição da pobreza mundial? É preciso ser um fascista para reconhecer a importância de recompensar devidamente os profissionais que se empenham e se especializam em seu trabalho? Será que o mero processo civilizatório não basta para nos convencer de que o Estado deve punir os criminosos exemplarmente? Somente direitistas têm o direito de reclamar do excesso de burocracia para empreendedores no Brasil?

Se respondermos sinceramente a todas essas questões, diante de Deus e da nossa consciência, veremos que somente o populismo, a caricatura e a mentalidade contenciosa das redes sociais nos mantêm isolados nos extremos de um espectro político muito mais complexo que as simplificações que a cultura do ódio nos vende diariamente pela internet.

Cada vez que vestimos a camisa da intransigência, do extremismo, do "é impossível que um cristão seja de direita/ esquerda", estamos passando por cima do exemplo de Jesus, das palavras dos apóstolos, da história e da política cotidiana, e transformando a nós mesmos em caricaturas, alimentando um ciclo de ódio que deveríamos interromper quanto antes.

Há uma fala muito interessante do apóstolo Paulo, durante sua primeira viagem à Grécia, que pode nos servir de inspiração — um episódio fundamental na expansão do cristianismo (At 17.16-34). Até então habituado a recorrer às comunidades judaicas como "plataforma" para sua pregação, em Atenas Paulo tratou com homens que não tinham nenhuma referência sobre a Bíblia hebraica, filósofos mais interessados em "discutir as últimas novidades" do que em aprender sobre deuses estrangeiros. Ainda assim, ele conseguiu que o ouvissem no Areópago, o centro de discussão da *intelligentsia* ateniense. Paulo começa dizendo que há um único Deus criador, que é diferente dos deuses romanos porque "não habita em templos feitos por homens e não é servido por mãos humanas, pois não necessita de coisa alguma. Ele mesmo dá vida e fôlego a tudo, e supre cada necessidade" (At 17.24-25). Em seguida, Paulo explica a condição dos próprios gregos, nascidos distantes da cultura judaica, da lei e dos profetas, pelo simples fato de que Deus assim havia determinado. "Seu propósito", diz Paulo, "era que as nações buscassem a Deus e, tateando, talvez viessem a encontrá-lo, embora ele não esteja longe de nenhum de nós" (At 17.27).

Paulo está nos revelando algo belíssimo: há algo no ser humano que o leva a buscar a Deus constantemente, e que talvez, "tateando" em culturas e sistemas humanos, esse Deus possa ser vislumbrado, ao menos em parte. Alguns o vislumbram em projetos sociais, no ambientalismo, no urbanismo, no trabalho diligente, no cuidado com os animais, na preservação da família, em assuntos "da direita" e "da esquerda". Trata-se de sombras da realidade, a qual só encontraremos plenamente no próprio Deus criador. A Bíblia chama essa plenitude de "reino de Deus" — o tema central de toda a pregação de Jesus Cristo.

Quem sabe, então, nosso alinhamento à direita ou à esquerda esteja menos associado à nossa convicção como cidadãos, e mais com os dons e talentos que Deus nos reservou — aquela "vocação divina" que o papa Francisco diz determinar "nossa vida e nossa presença no mundo"?[7] Qual é o seu chamado? Que causas movem o seu coração? Que tipo de injustiça você se sente mais impelido a corrigir? Abaixo, selecionei trechos de falas de dois pastores batistas, um que se assume mais à direita do espectro político, e o outro, mais à esquerda. Ambas as falas foram extraídas de debates abertos em ambientes majoritariamente cristãos, ambas no ano da controvertida corrida eleitoral de 2018.

Primeiro, o pastor Franklin Ferreira, diretor-geral do Seminário Martin Bucer:

> Por um lado, é inócuo ser rotulado como um cristão de direita. Por outro, [...] aparecem alguns pontos de convergência muito interessantes entre seguir a Jesus e gostar desses valores conectados com a direita. Você entende que todo processo de ruptura ou revolucionário é custoso em termos de vidas, de causa econômico-social. O preço pago é sempre a socialização da miséria e da pobreza. Há outros pontos de convergência. Um deles é a relação entre o indivíduo e o Estado. Para o esquerdista, o Estado é tudo: quem deve trabalhar por justiça social é o Estado, quem opera as mudanças no campo educacional é o Estado, quem tenta igualar as pessoas é o Estado. E essa tentativa de igualar pessoas está na origem dos mais atrozes genocídios do século 20. O que o esquerdista espera do Estado é o que um crente esperaria de

Deus. O crente piedoso pede segurança para Deus, o pão para Deus, perdão para Deus, senso de realização para Deus, enquanto o esquerdista transfere tudo isso para o Estado. Então o Estado vira um ídolo, um Baal. [...]

A tragédia é que o Brasil é rico, só que a riqueza é dividida de forma desigual. A Bíblia afirma que o amor ao dinheiro é a raiz de todos os males e não o dinheiro em si — essas trocas simbólicas que nós fazemos todo dia. Da mesma forma que um megaempresário pode idolatrar o dinheiro como sinal de poder, um governo de esquerda pode provar, como o PT provou, que o capitalismo de compadrio é tão predatório quanto o mercado sem agências regulatórias. O capitalismo é apenas uma forma de organização econômica, e o esquerdismo também é capitalista — só que o que ele defende é um capitalismo de Estado. [...]

Eu não diria que a direita é a única opção política, mas me parece que, dentro do enquadramento político, é a que mais se adequa aos valores e aos dogmas cristãos, essa noção da política da prudência, da cautela, da valorização das instituições que compõem uma República, etc.[8]

Abaixo, uma fala do pastor Ed René Kivitz, da Igreja Batista de Água Branca, em São Paulo.

A primeira questão que está posta é quanto de Estado queremos na sociedade. A direita tem a tendência de dizer: "Menos Estado e mais mercado", e a esquerda diz: "Mais Estado e menos mercado" ou "Um Estado regulador da economia". Isso é muito importante, e talvez uma das grandes discussões de nosso momento social e político seja esta compreensão do papel, do valor e da importância no Estado. Por trás dessa discussão existe uma palavra que talvez as pessoas não estejam levando em consideração, que é "direito". O pessoal que defende menos Estado, especialmente o neoliberal mais radical, diz: "Você não tem direito a educação",

"Você não tem direito a moradia", "Você não tem direito a saúde". Afinal, se você acredita ter direito, quem teria o dever de lhe dar o que julga de direito?

Segundo o neoliberalismo, seu direito é o de participar do mercado: comprar e vender serviços de educação, comprar e vender serviços de saúde, comprar e vender serviços de moradia. Na minha opinião, quando você esvazia uma sociedade da presença do Estado, não há ninguém que garanta seu direito, porque quem garante direitos é o Estado. Por isso, eu faço parte do grupo da sociedade que diz que mercado é um território que precisa de regulação, porque sua natureza é darwinista, competitiva, meritocrática e desproporcional. Eu acredito na necessidade de um Estado forte que garanta direitos, especialmente das populações mais vulneráveis e empobrecidas, porque rico não precisa de Estado. Quem precisa de Estado é o pobre. [...]

Acredito na necessidade de um Estado que garanta direitos, acredito na defesa intransigente dos direitos humanos, e acredito na legitimidade das lutas identitárias. Essas três pautas para mim são inegociáveis, e penso que como cristão não preciso explicar muito nem citar versículo para defender meu posicionamento. E rejeito ser identificado como marxista, socialista ou comunista. Basta me identificar como cristão para defender as coisas que eu defendo.[9]

Para um seguidor de Jesus maduro, é impossível afirmar qual dos dois depoimentos acima tem maior conformidade com o espírito do evangelho. Ao mesmo tempo, é fácil dizer com qual deles nos identificamos pessoalmente. Isso ocorre porque "a cada um de nós" Deus "concedeu uma dádiva" (Ef 4.7): alguns foram designados "para apóstolos, outros para profetas, outros para evangelistas, outros para pastores, outros para pastores e mestres" (Ef 4.11), e poderíamos dizer também: outros para empresários, outros para poetas, outros para pediatras e outros para biólogos. Embora nossa tendência carnal seja procurar os que são iguais a nós e passar a vida criticando os diferentes, a Bíblia em vez disso incentiva cada um de nós a "cumprir sua função específica", a fim de ajudar os demais "a crescer, para que todo o corpo se desenvolva e seja saudável em amor" (Ef 4.16). O que Deus criou para nos aproximar, a cultura vigente nos incentiva a usar para nos repelir. Está em nossas mãos escolher qual caminho seguir.

Não há problema algum o cristão se reconhecer mais à direita ou mais à esquerda do espectro político. O problema é quando, acriticamente, compramos todo o "pacote" desta ou daquela ideologia política e desprezamos e humilhamos os que entendem a sociedade de forma diferente. Transformamos uma ideologia humana em um ídolo, imune a críticas. Foi essa distorção que criou aberrações como, de um lado, aquilo que Franklin Ferreira chama de "idolatria do Estado" entre a esquerda, e de outro, as ideias supremacistas de direita como as da *Alt-Right*, movimento essencial para a eleição de Donald Trump nos Estados Unidos.

A Bíblia é clara ao nos dizer que devemos estender a mão aos pobres e defender o direito dos oprimidos, mas é extraordinariamente sábia ao silenciar sobre como fazê-lo: "Devemos encolher o Estado e deixar o mercado privado de capitais alocar recursos?", pergunta o pastor e pensador Timothy Keller, em um brilhante artigo sobre polarização política entre cristãos publicado no *New York Times*.[10] "Ou deveríamos expandir o governo e dar ao Estado mais força para redistribuir riqueza? Ou seria um caminho intermediário?"

Keller é prudente ao não oferecer respostas onde a Bíblia não o faz. Em vez disso, conta a história de um homem do

Mississippi que ele conheceu tempos atrás, um republicano conservador, além de presbiteriano dos mais tradicionais. Durante uma temporada nas Terras Altas escocesas, esse homem deparou com igrejas tão ortodoxas quanto esperava encontrar, daquelas em que todos conheciam de cor versículos bíblicos e o catecismo e ninguém ligava a televisão aos domingos. Depois de se encantar com aqueles irmãos e fazer ali bons amigos, descobriu que aqueles escoceses eram, segundo ele, "socialistas", com convicções "muito esquerdistas" sobre o papel do governo e as responsabilidades do Estado, muito embora tais convicções fossem igualmente fundamentadas em suas convicções cristãs. Keller conta que aquele homem voltou aos Estados Unidos, não como um esquerdista, mas sim "humilhado e contrito": "Ele se deu conta de que cristãos ponderados, procurando obedecer ao chamado de Deus, poderiam perfeitamente surgir em diferentes pontos do espectro político, leais a diferentes estratégias políticas".

Que no Brasil de hoje, nós também estejamos dispostos a ser humilhados e contritos de toda polarização e intransigência. Que sejamos mais acolhedores com as diferentes formas com que o Espírito Santo sopra sobre as pessoas que não são nós. E que sejamos exemplo para todos os que, com o bom espírito de contribuir para o país, ainda estão tateando, em busca das boas-novas do reino de Deus.

9
Economia

> Ninguém pode servir a dois senhores, pois odiará um
> e amará o outro; será dedicado a um e desprezará o
> outro. Vocês não podem servir a Deus e ao dinheiro.
>
> MATEUS 6.24

"O que esta pandemia já está revelando", disse o presidente da França, Emmanuel Macron, em pronunciamento oficial, "é que a saúde gratuita, não condicionada à renda, à história ou à profissão de alguém, e nosso Estado de bem-estar social não são custos ou encargos, mas bens preciosos, vantagens indispensáveis quando o destino bate à porta. O que esta pandemia revela é que existem bens e serviços que devem ficar fora das leis do mercado."[1]

Em 12 de março de 2020, a Organização Mundial da Saúde (OMS) classificou a epidemia de COVID-19, uma doença respiratória causada por um novo tipo de coronavírus, como "pandemia" — ou seja, um mal que se espalhou por todos os continentes. Quatro dias depois, à época em que Macron fazia seu pronunciamento, havia na França 2.875 casos confirmados, com 61 mortes. "As próximas semanas e os próximos meses necessitarão de decisões de ruptura", disse o presidente francês. "Eu as assumirei."

Nas horas seguintes, o governo francês ordenou o fechamento de escolas e universidades, suspensão de serviços não essenciais e proibição de aglomerações.

Quando classifica o sistema de saúde francês como um serviço que deve ficar "fora das leis de mercado", Macron abre uma discussão sobre o papel do Estado e os limites do liberalismo econômico. Será que o Estado deveria garantir a renda dos trabalhadores, incentivar empresas e assegurar a saúde universal, como faria um governo "de esquerda"? Ou deveria retirar-se da discussão e deixar o mercado se autorregular, como manda a cartilha liberal?

Nos dias seguintes, praticamente todos os países do mundo adotaram medidas restritivas. Houve fechamento de fronteiras, imposição de quarentenas, proibição de atividades comerciais consideradas não essenciais, tudo isso com impactos enormes para a economia local e global. Muitos países tomaram decisões econômicas radicais. Os Estados Unidos, por exemplo, aprovaram um subsídio de mil dólares mensais para os mais pobres, além de reduzir taxas de juros e injetar 700 milhões de dólares no mercado, comprando títulos do tesouro. O Reino Unido prometeu empréstimos de 400 bilhões de dólares a empresas afetadas e suspendeu pagamentos de hipotecas. A Alemanha anunciou crédito "ilimitado" a empresas e prometeu financiamento público para compensar a queda na produção. Muitos governos anunciaram pacotes de renda básica universal e transferência de renda.[2]

No glossário da esquerda, o nome disso é "medida anticíclica": a ideia de que a atividade econômica acontece em ciclos, é flutuante, suscetível às mais diversas variações do mercado, e que por isso, eventualmente, o Estado precisa aumentar seus gastos para corrigi-la. Em outras palavras, como na frase muitas vezes atribuída ao economista britânico John Maynard Keynes, em tempos de crise o governo deveria pagar para que os cidadãos cavassem buracos e depois pagá-los para tampá-los. Entretanto, para o catecismo liberal, o nome de tudo isso é "intervencionismo": um Estado que atravessa o bom funcionamento do mercado, usando dinheiro que tirou dos contribuintes por meio de impostos para lhes oferecer serviços que poderiam ser adquiridos com mais qualidade num mercado aberto.

Depois de décadas de uma economia movida pelo Estado (do Plano Nacional de Desenvolvimento dos militares ao Programa de Aceleração do Crescimento dos governos petistas), com a eleição de Jair Bolsonaro o Brasil vivia pela primeira vez a expectativa de uma experiência convictamente liberal. É nesse momento que a COVID-19 chega ao país.

Os primeiros casos de transmissão local (ou seja, de brasileiros que não trouxeram o coronavírus de viagens ao exterior) aconteceram no Brasil em meio a mais uma disputa entre o presidente Jair Bolsonaro e o Congresso, desta vez em torno do Orçamento Impositivo. Essa disputa dominou o noticiário alguns dias após o IBGE ter divulgado o Produto Interno Bruto do primeiro ano do governo Bolsonaro: 1,1%, o menor em três anos.[3] Aliado a isso, a notícia de que o real havia se tornado a moeda no mundo que mais perdera valor diante do dólar: 15% só em 2020.[4] No meio de acusações de lado a lado, "a única voz de bom senso", segundo a revista *Veja*, seria a do ministro da economia Paulo Guedes, que afirmou em entrevista: "Precisamos transformar a crise em reformas. Somente elas serão capazes de trazer investimentos, crescimento e gerar empregos. [...] Se promovermos as reformas, abriremos espaço para um ataque direto ao coronavírus. Com três bilhões, quatro bilhões ou cinco bilhões, a gente aniquila o coronavírus".[5]

A fala de Guedes, por mais insensível e descompassada da realidade que soe com a distância do tempo, seguia o mesmo tom da liderança de Jair Bolsonaro, que havia definido a crise como "uma fantasia",[6] "uma gripezinha".[7] O presidente disse que considerava "um crime"[8] as medidas de confinamento promovidas por prefeitos e governadores: "A dose do remédio não pode ser excessiva, de modo que o efeito colateral seja mais danoso do que o próprio vírus".[9] Ele se referia ao risco iminente de recessão econômica diante da queda generalizada do consumo e da produção.

Assim, embora o mundo todo parecesse seguir uma mesma linha no enfrentamento da tragédia, Jair Bolsonaro conseguiu dividir o Brasil em dois: os que defendiam o isolamento, mesmo que isso conduzisse à pior recessão da história do país, e os que entendiam que as medidas de restrição eram um exagero por parte dos interessados em sabotar uma eventual recuperação econômica. Tratava-se, em muitos aspectos, de uma discussão sobre a posição que a economia deve ocupar na escala de valores de um país.

Paulo Guedes é um "Chicago Boy" — a geração de economistas neoliberais formada pela Universidade de Chicago durante a década de 1970, sob a mentoria de nomes como Milton Friedman, Deirdre McCloskey e Thomas Sargent. "Neoliberalimo" é a ideologia que marcou o governo republicano do norte-americano Ronald Reagan e da conservadora inglesa Margareth Thatcher na década de 1980, pregando uma redução drástica de impostos e gastos públicos, promovendo privatizações e estimulando a livre concorrência.

Ao longo de sua vida, Paulo Guedes se alternou entre a academia e a iniciativa privada, mas nunca deixou de sondar a vida pública. Em 1989, por exemplo, criou o programa de governo do candidato do Partido Liberal à presidência, Guilherme Afif Domingos. Mas o que lhe valeu algum renome foram seus artigos para a revista *Exame* e para o jornal *O Globo*, nos quais criticava ferozmente desde os diversos planos econômicos do governo Sarney até o Plano Real. E seu ponto de vista era sempre o do liberalismo radical: privatizar tudo e entregar à iniciativa privada concessões de toda a infraestrutura nacional. Ao ser perguntado pela revista *Veja* sobre o que pretenderia privatizar caso viesse a ser ministro em um eventual governo Bolsonaro, respondeu: "Tudo mesmo". O repórter insistiu: "Tudo? Qual seria o limite?". Guedes reforçou: "Não tem limite".[10]

O casamento entre Guedes e Bolsonaro foi uma aproximação de conveniência entre um economista e um candidato com pouca coisa em comum. Tudo começou quando Paula Drumond, filha de Guedes e sócia de uma *startup* chamada Jobzi, dedicada a análise de tendências de mercado, no meio de um trabalho de cruzamento de dados concluiu qual seria o perfil desejado pelo público para o próximo presidente do Brasil: "um *outsider*, sem o perfil do político tradicional e com grande presença nas redes sociais".[11] Convencido disso, no primeiro semestre de 2016 Paulo Guedes procurou Luciano Huck e começou a arquitetar o lançamento do nome do apresentador como possível candidato à presidência nas eleições dali dois anos.

Um amigo chamou a atenção de Jair Bolsonaro para um artigo do jornal *O Globo*, no qual Guedes analisava os pré-candidatos postos no final de 2017. No texto, ele definia Lula como "sobrevivente de uma velha política populista" e Bolsonaro como um "fenômeno eleitoral de uma 'direita' que defende a lei e a ordem". Tendo apreciado o modo como Guedes o enxergava, o então deputado pediu para que agendassem um encontro com o economista em outubro de 2017. Um mês depois, Luciano Huck desistiu de sua candidatura, e assim Bolsonaro tornou-se o veículo desejado por Paulo Gudes para pôr em práticas suas teorias liberais. De igual modo, Paulo Guedes, economista sem passado político considerável, tornou-se o "Posto Ipiranga" a quem Bolsonaro poderia endereçar as questões sobre economia às quais ele não queria ou não sabia responder. Além disso, como um liberal radical, ajudaria a reforçar o discurso antipetista do candidato — e disfarçar o fato de Bolsonaro ter votado junto com o PT na maioria das pautas econômicas. O mercado financeiro acreditou no casamento entre os dois, e Jair Bolsonaro angariou a simpatia de boa parte do empresariado brasileiro.

(Vale notar que, para muitos eleitores, o discurso de privatização de Guedes funcionou menos por sua lógica liberal e mais como parte da pauta anticorrupção, visto que os escândalos dos governos petistas quase sempre envolviam, de alguma forma, estatais e a ingerência do Estado sobre a iniciativa privada. No caso da infame "Política dos campeões", por exemplo, o mirabolante programa de Lula para criar megaempresas brasileiras competitivas em nível global, surgiu entre os empresários a piada de que a melhor estratégia para uma empresa crescer no país era "tomar um avião e ir até Brasília".[12])

Uma vez eleito Jair Bolsonaro, a agenda de Paulo Guedes se propôs reformista desde o início — de fato, pouco mais de trinta dias bastaram para que o Congresso recebesse seu projeto de reforma da Previdência. Para adiante ficaram prometidas propostas de reformas tributárias e administrativas.

O norte era desinchar e desburocratizar a máquina pública, tornando o Estado menor e mais eficiente. Eram essas as reformas a que Guedes se referia ao pedir velocidade ao Congresso para "aniquilar o coronavírus".

Durante a pandemia da COVID-19, o governo brasileiro tentou seguir a ideologia liberal até quando pode. Bolsonaro atravessou a crise defendendo que as medidas restritivas eram "histeria" da imprensa e que era preciso preservar a economia. Chegou a encomendar uma campanha chamada "O Brasil Não Pode Parar", que acabou proibida pela Justiça por contrariar orientações do próprio Ministério da Saúde.[13] Enquanto a maioria dos países aprovava medidas anticíclicas (Trump, por exemplo, invocou a Lei de Produção de Defesa para obrigar empresas automobilísticas privadas a fabricar o que o governo precisasse, como respiradores[14]), Bolsonaro publicava no Diário Oficial uma medida provisória que permitia suspensão de contratos de trabalho por até quatro meses. A repercussão foi tão negativa que o governo voltou atrás; o ministro Paulo Guedes alegou "erro de redação".[15] Finalmente, trinta dias depois do primeiro caso de COVID-19 no país, o governo brasileiro anunciou um pacote de 40 bilhões de reais em crédito para financiar salários de trabalhadores prejudicados durante a crise. Essa ajuda equivale a 3,1% do PIB — para efeito de comparação, os Estados Unidos empenharam 4,1%, a Alemanha 29,7%, e a Inglaterra 15%.[16]

Até o fechamento deste livro, os efeitos das paralisações na economia brasileira e mundial ainda estavam longe de ser calculados. Mas a discussão entre vida e economia tornou-se inevitável, sobretudo porque ela não se apresenta como uma questão de escolha, e sim de hierarquia. O que, na prática, deve ser priorizado? O que a sabedoria bíblica tem a nos ensinar?

"Dinheiro" é um assunto absolutamente presente na Bíblia. Em forma de ensino direto ou de metáfora, ele aparece em aproximadamente 2.350 versículos.[17] Apesar disso, a contribuição cristã para a macroeconomia é pífia. Uma voz solitária é a do padre dominicano francês Louis-Joseph Lebret, criador da "economia humana" e uma das principais lideranças no Concílio Vaticano II, da Igreja Católica.

Lebret ingressou na ordem dominicana após regressar da Primeira Guerra Mundial, onde serviu como marinheiro. Estudou teologia e economia até que, no final da década de 1920, precisou regressar à sua região natal, em Saint-Malo, para tratar de um problema de saúde. Reencontrou toda a indústria pesqueira em frangalhos, ainda sentindo os efeitos da guerra e já na iminência da Grande Depressão de 1929.

Lebret notou que os trabalhadores encontravam poucas respostas para suas questões na igreja e, famintos, voltavam-se para as saídas radicais do sindicalismo e do comunismo. Embora crítico da revolução soviética, Lebret reconhecia que as teorias de Marx eram "uma reação pró-humana contra um sistema inumano". Como economista cristão, passou a se interessar em discutir modelos de desenvolvimento que fossem mais "simétricos" — ou seja, em que a riqueza de alguns não fosse gerada a partir da pobreza de outros. Foi para isso que, em plena Segunda Guerra Mundial, criou o centro de estudos Economia e Humanismo e se tornou consultor na ONU e nome importante na Organização Internacional do Trabalho, na Suíça.

"O crescimento indicado apenas pelo aumento de renda nacional pode dissimular o enriquecimento dos mais ricos e um empobrecimento dos mais pobres", escreveu Lebret. "Nesse caso, não há desenvolvimento. Não há desenvolvimento sem aumento de vida e do valor humano das camadas menos favorecidas."[18]

Lebret exerceu grande influência sobre os campos de economia e ciências sociais entre as décadas de 1940 e 1970. Entretanto, com a ascensão do neoliberalismo de Reagan e Thatcher na década seguinte, sua "economia humana" foi saindo de moda nas faculdades até se transformar quase que em uma nota de rodapé, por vezes associada aos anticapitalistas e socialistas — coisa que provavelmente o desagradaria, já que o padre criticava o marxismo como um sistema que atenta contra a subjetividade sagrada do ser humano.

Foi exatamente nos anos 1980 que o neoliberalismo, enquanto monopolizava o debate econômico, encontrou um correspondente perfeito dentro do universo religioso. Uma corrente que usava a Bíblia para justificar o acúmulo de bens e legitimar o lucro ganhou o nome de "teologia da prosperidade", embora, como "teologia", seja repudiada por praticamente todas as linhas protestantes históricas.

A expansão da teologia da prosperidade está intimamente ligada à febre dos televangelistas do início dos anos 1980. Pregadores como Jim Bakker, Oral Roberts e Kenneth Hagin criaram uma interpretação bíblica na qual a fé e o empenho do cristão são, necessariamente, recompensados em forma de saúde física e prosperidade material — consequentemente, dificuldades financeiras e doenças se tornam provas da falta de empenho e de fé. Esse evangelho da prosperidade interpreta o "venha o teu reino" da Oração do Pai Nosso como uma experiência material perfeitamente submissa à lógica capitalista: *status*, poder e dinheiro não apenas deixam de ser motivo de culpa, mas se tornam o objetivo principal de todo um sistema religioso.

Até desembarcar no Brasil, nos anos 1990, o evangelho da prosperidade arrastou consigo diversos outros movimentos controversos, como a Teologia do Domínio, a Confissão Positiva, a Lei da Semeadura e a Palavra de Fé. Todas essas correntes soavam muito naturais às alas mais carismáticas e supersticiosas da igreja evangélica, gerando o amontoado de denominações em um movimento que se convencionou chamar de "neopentecostalismo" — representado no país por uma galeria de líderes midiáticos como Valnice Milhomens, Renê Terra Nova, Valdemiro Santiago, Edir Macedo, Estevam e Sônia Hernandes, Silas Malafaia e R. R. Soares.

Embora tanto o neopentecostalismo quanto o neoliberalismo brasileiro já estivessem em gestação desde pelo menos a eleição de Fernando Collor de Mello, foi a partir do Plano Real, em 1994, que ambos os fenômenos ganharam corpo. Fernando Henrique Cardoso se elegeu presidente prometendo privatizações, mudanças no papel dos sindicatos e quebra de monopólios. A contragosto, era chamado de "neoliberal". De qualquer modo, foi a partir de seu governo que o Brasil quebrou o ciclo da hiperinflação, estabilizou sua economia e saiu do subdesenvolvimento deixado pelos militares. Estima-se que entre os governos FHC e Lula a pobreza tenha caído 67% e mais de 50 milhões de pessoas tenham sido incorporadas à classe média.[19] No caso de Lula, em especial, com sua política de "transformar pobre em consumidor",[20] houve uma expansão brutal do mercado graças à facilidade do crédito, tanto para pessoas físicas como para empresas. Ao longo dos oito anos de seu governo, a fatia do PIB representada por operações de crédito saltou de 24,6% para assombrosos 47%.[21] Um terreno fértil para o evangelho da prosperidade. Agora, a Confissão Positiva ganha importância como método individual, e a Teologia do Domínio, como proposta coletiva. O crente "determina" e "toma posse da bênção", e Deus "levanta uma geração" para "dominar" a sociedade e o mercado de trabalho. O pastor e cantor Marco Feliciano, por exemplo, antes de se tornar deputado federal e apoiador dedicado de Jair Bolsonaro, era conhecido no meio evangélico por vídeos em que afirmava coisas como: "Você tem que parar de aceitar essa situação que o inimigo soprou no seu ouvido dizendo que filho de crente precisa ser engraxate ou vendedor de picolé. Seu filho pode ser médico, pode ser empresário. Trace suas metas e acredite que o seu Deus é o Deus do ouro e o dono do prata. Com a fidelidade a Deus, vem a prosperidade".[22]

A mensagem neoliberal propagada por Paulo Guedes faz todo o sentido do mundo para milhões de evangélicos que passaram décadas aprendendo que nossa relação com Deus se baseia na meritocracia da fé sacrificial. Que, em vez do contentamento proposto pela Bíblia, devemos buscar realização nos bens materiais. Que a ascensão profissional é promessa do Deus que não mente. Que é com dinheiro que nós nos relacionamos com as pessoas ao redor, e é com dinheiro que Deus responde às nossas orações. Não é de se espantar que, em pesquisa de julho de 2019, os neopentecostais eram o extrato social mais satisfeito com o governo de Jair Bolsonaro — e também o mais esperançoso com suas promessas.[23]

Jesus Cristo tem um ensino desconcertante a respeito do dinheiro. No meio do Sermão do Monte, seu longo manifesto a respeito da visão de mundo que ele espera encontrar em seus seguidores, Jesus faz uma afirmação fortíssima: "Ninguém pode servir a dois senhores, pois odiará um e amará o outro; será dedicado a um e desprezará o outro. Vocês não podem servir a Deus e ao dinheiro" (Mt 6.24). O termo traduzido por "dinheiro" é *Mamom*, em geral usado como uma personificação da riqueza material; ou seja, é como se Jesus estivesse dando ao dinheiro *status* de uma divindade, uma entidade espiritual, que compete por espaço em nosso coração com o próprio Deus. "Algumas pessoas discordam destas palavras de Jesus", diz John Stott. "Recusam-se a ser confrontadas com uma escolha tão rígida e direta, e não vêm a necessidade dela. Asseguram-nos que é perfeitamente possível servir a dois senhores simultaneamente, por conseguirem fazer isso muito bem. Diversos arranjos e ajustes possíveis parecem-lhes atraentes. Ou eles servem a Deus aos domingos e a Mamom nos dias úteis, ou a Deus com os lábios e a Mamom com o coração, ou a Deus na aparência e a Mamom na realidade, ou a Deus com metade de suas vidas a Mamom com a outra."[24] Quem está nesse ponto, equilibrando-se entre dois senhores, de fato já escolheu devotar seu coração ao dinheiro.

Será que somos honestos o bastante para reconhecer diante de qual senhor estamos ajoelhados? Jesus nos dá uma dica preciosa para essa autoavaliação: "Onde seu tesouro estiver, ali também estará seu coração" (Mt 6.21). Ou seja, quais valores nos são negociáveis e quais não, quais políticas públicas merecem nosso voto e nosso engajamento, quais são as motivações de nossas orações, onde empregamos nossa energia e nosso tempo — tudo isso revela do que se ocupa nosso coração, onde juntamos tesouros e quem, de fato, é nosso senhor.

Tragicamente, o crescimento numérico da igreja evangélica brasileira a partir dos anos 1990 está intimamente ligado a um evangelho em que Deus não passa de uma escada que nos leva até Mamom. Em que pregadores ostentam anéis e carros esportivos como sinal de bênção. Em que o ser humano é quem arrasta Deus até si por meio de seu dízimo e de seu sacrifício financeiro. Em que a pobreza é sinal de falta de fé e não de uma realidade corrompida à espera de redenção. Um cristianismo que deixa muito claro onde estão seu tesouro e seu coração.

10
Frágeis

....

Quando o Filho do Homem vier em sua glória, acompanhado de todos os anjos, ele se sentará em seu trono glorioso. [...]

Então o Rei dirá aos que estiverem à sua direita: "Venham, vocês que são abençoados por meu Pai. Recebam como herança o reino que ele lhes preparou desde a criação do mundo. Pois tive fome e vocês me deram de comer. Tive sede e me deram de beber. Era estrangeiro e me convidaram para a sua casa. Estava nu e me vestiram. Estava doente e cuidaram de mim. Estava na prisão e me visitaram".

Então os justos responderão: "Senhor, quando foi que o vimos faminto e lhe demos de comer? Ou sedento e lhe demos de beber? Ou como estrangeiro e o convidamos para a nossa casa? Ou nu e o vestimos? Quando foi que o vimos doente ou na prisão e o visitamos?".

E o Rei dirá: "Eu lhes digo a verdade: quando fizeram isso ao menor destes meus irmãos, foi a mim que o fizeram".

MATEUS 25.31,34-40

....

Não foram os nazistas que inventaram a expressão "Lebensunwertes Leben", mas foi sob a liderança de Adolf Hitler que o conceito de "vida indigna de vida" ganhou sua aplicação mais abominável: a criação de instituições públicas e privadas dedicadas à gente "impura", estética, moral e geneticamente aquém dos padrões arianos: paraplégicos, cegos, surdos, esquizofrênicos e portadores de doenças físicas e mentais; desertores "inimigos da pátria", comunistas e anarquistas; homossexuais; judeus, ciganos, eslavos, poloneses. Estima-se que, entre 1939 e 1945, a Alemanha nazista esterilizou à força mais de 400 mil pessoas[1] e assassinou até 250 mil por meio de suas instituições dedicadas às "vidas indignas de vida" — para não mencionar o assustador número de 6 milhões de judeus mortos em campos de concentração.[2]

O que pouco se comenta é que os programas de esterilização nazistas foram inspirados no movimento eugênico norte-americano. "Eugenia", diziam no início do século 20, era a "ciência da boa geração" — uma aplicação das leis de Darwin, da sobrevivência do mais apto, também entre os seres humanos. Nos Estados Unidos, 32 estados mantiveram algum programa de eugenia até os anos 1940. Na Califórnia, em especial, com sua grande população de imigrantes e descendentes de mexicanos e indígenas, calcula-se que 20 mil pessoas tenham sido esterilizadas à força. A mulheres negras, viciados em drogas e presos em liberdade condicional, o estado oferecia o "benefício" da esterilização, que pouparia do contribuinte norte-americanos os custos com vidas indignas de vida.[3]

No Brasil o grande divulgador da eugenia foi o médico Renato Kehl, que fundou a Sociedade Eugênica de São Paulo em 1918. Kehl dividia os seres humanos entre "aristogênicos" (geneticamente superiores) e "cacogênicos" (inferiores). A função da medicina seria, numa visão higienista, manter os dois grupos separados para evitar o que ele chamava de "disgenia" — os desvios de padrão causados pela pobreza, pelo alcoolismo ou pela "feiura física e moral".[4] Kehl acreditava que as pesquisas científicas sobre reprodução humana deviam ser direcionadas para que pessoas "fortes, equilibradas, inteligentes", de "linhagem hereditária sadia", tivessem "maior número de filhos", ao mesmo tempo que os "anormais", pessoas "inferiormente apresentáveis", como "doentes, tarados e miseráveis", não tivessem filhos.[5]

Apesar de alguma curiosidade da imprensa, de alguma adesão de intelectuais e formadores de opinião, e até de vergonhosos "Concursos de Eugenia" entre crianças em São Paulo, o movimento foi desaparecendo — ou, quem sabe, se disfarçando — debaixo de pesada crítica. Um dos maiores opositores, segundo o próprio Renato Kehl, era a igreja cristã de sua época, que, com seus projetos assistencialistas, impedia o que ele chamava de "seleção natural" baseada na carga genética.

De fato, desde suas raízes judaicas, o cristianismo tem como um de seus traços distintivos o cuidado com os mais frágeis da sociedade. Na Bíblia hebraica, escrita originalmente para uma sociedade fortemente tribal e patriarcal, os frágeis eram simbolizados pela figura do órfão, da viúva e do estrangeiro (Êx 22.21-22; Dt 10.18; 24.17; Sl 146.9; Zc 7.10). Esse simbolismo é explicado no salmo 68. Em tese, todos temos a quem recorrer em casos de injustiça: os mais jovens têm seus pais, os adultos têm sua comunidade, as mulheres têm seus esposos. Mas há os mais frágeis, aqueles que não têm ninguém que os defenda, tão somente Deus, que é "Pai dos órfãos" e "defensor das viúvas" (Sl 68.5).

Como de costume, Jesus traz a questão para um outro nível de complexidade e honestidade. Em uma de suas primeiras falas públicas, ele cita o profeta Isaías ao se apresentar como aquele que Deus enviou para "trazer as boas-novas ao pobres" e para "anunciar que os cativos serão soltos, os cegos verão e os oprimidos serão libertos" (Lc 4.18). Em seu breve ministério, Jesus conviveu — e foi criticado por conviver — com leprosos (Mt 26.6), coletores de impostos e outros pecadores (Mc 2.16), e ainda ousou tratar publicamente com uma mulher descasada, que além de tudo era samaritana (Jo 4.1-38), gente considerada indigna pelos "aristogênicos" de sua época. "Pois não vim para chamar os justos", dizia ele, "mas sim os pecadores" (Mt 9.13).

Em Mateus 25.31-46, Jesus parece radicalizar ainda mais. Aqui ele apresenta uma mensagem apocalíptica, sobre o fim dos tempos, o dia do juízo final. No Sermão do Monte, no início de seu ministério, ele já havia revelado que, naquele último dia, muitos que usaram seu nome para profetizar, expulsar demônios e realizar milagres seriam apartados com palavras duras: "Nunca os conheci" (Mt 7.23). Ou seja, falar sobre Jesus ou em nome de Jesus não significa ter um relacionamento com Jesus. Agora, ele volta ao tema e explica que esse relacionamento se dá quando estamos entre os menores, os mais frágeis: o faminto, o sedento, o imigrante, o aprisionado, aquele que perdeu até a roupa do corpo.

Os primeiros seguidores de Jesus não tinham dúvida alguma sobre isso. O apóstolo Tiago retoma o simbolismo das Escrituras hebraicas ao descrever qual é "a religião pura e verdadeira aos olhos de Deus": "cuidar dos órfãos e das viúvas em suas dificuldades e não se deixar corromper pelo mundo" (Tg 1.27); ou seja, cuidar dos mais frágeis. A Didaquê, o primeiro catecismo da igreja cristã, adverte sobre aqueles "que odeiam a verdade, que amam as mentiras", os que "amam ilusões, visam o lucro, não têm compaixão pelos pobres, não se empenham em prol dos oprimidos, ignoram seu Criador, assassinam crianças, corrompem a imagem de Deus, defendem os ricos, condenam injustamente os pobres e são totalmente perversos". A recomendação, então, é: "Meus filhos, que vocês não se envolvam com nada disso!".[6]

Foi por causa desse entendimento que, já no século 16, os quacres romperam com o formato machista das reuniões religiosas de seu tempo e deram voz e espaço às mulheres. Foi por causa de sua fé que Louis Braille criou um sistema de leitura para deficientes visuais que leva seu nome e é usado até hoje. Foi por causa da empatia com uma menina surda que Thomas Gallaudet criou a linguagem de sinais. Foi por acreditar que todo ser vivo foi criado por Deus que Humphry Primatt iniciou o movimento contra os maus-tratos aos animais. Foi por amor aos mais frágeis que Jan Comenius acabou com o analfabetismo na Suécia e inventou a pedagogia moderna. Todos cristãos, empenhados na missão delegada por seu Mestre, de curar os doentes, libertar os cativos, dar visão aos cegos e audição aos surdos, enxergando dignidade em vidas que a sociedade de sua época julgava indignas de viver.

A esta altura do texto, o leitor mais desconfiado talvez coce o queixo e se pergunte: por que esta não é a igreja cristã que vemos no Brasil? O que aconteceu com a mensagem de Jesus para que alguém como o pastor neopentecostal R. R. Soares se sentisse à vontade para dizer que ajudar os necessitados é "desviar os recursos destinados à evangelização" e que "o governo arrecada impostos justamente para fazer isso"?[7] O que separa o "estava na prisão e me visitaram" de Jesus e o "bandido bom é bandido morto" de tantos que se proclamam cristãos hoje? Quando foi que o Cristo dizendo "tive fome e vocês me deram de comer" foi substituído pelo bispo Edir Macedo dizendo que se todo o dinheiro investido na construção do Templo de Salomão fosse aplicado hoje em alimentos, "amanhã [os famintos] sentiriam fome de novo"?[8]

Quero oferecer aqui duas respostas possíveis para isso. A primeira diz respeito à construção histórica do movimento evangélico à brasileira, revisitando nossas raízes históricas e nossa visão de mundo herdada dos missionários que aportaram em nosso país. A segunda resposta não nega a primeira, mas é uma alternativa a ela: Jesus Cristo continua, mais do que nunca, acolhendo os órfãos, as viúvas e os estrangeiros por meio de seu corpo, a igreja. Nós é que cometemos o erro de fixar nossos olhos justamente na igreja mais visível e no entanto mais distante do evangelho. Peço licença para começar com a perspectiva histórica.

A ideia de "liberdade religiosa" é bastante recente no Brasil. Até a proclamação da República, em 1889, o catolicismo romano era a religião oficial do Império: padres e bispos eram funcionários públicos, e assuntos burocráticos da igreja se submetiam ao Ministério da Justiça. O Estado laico brasileiro foi uma construção que durou o século 19 inteiro, começando com o famoso Tratado de Livre Comércio e Navegação entre Portugal e Inglaterra, que, por contrato, garantia aos britânicos liberdade de culto protestante sem que fossem "perseguidos ou molestados por causa da sua religião". De todo modo, até a primeira Constituição republicana, de 1891, o protestantismo brasileiro se restringia basicamente a serviços religiosos para imigrantes europeus em fazendas do interior ou para as elites nas capitais, que matriculavam seus filhos em colégios caros — como o presbiteriano Mackenzie em São Paulo ou o metodista Bennett no Rio.

Na virada entre os séculos 19 e 20 os Estados Unidos já emergiam como potência econômica, mas estavam divididos culturalmente, como uma dolorida cicatriz da Guerra da Secessão. A maior convenção evangélica do país se dividira durante a guerra, gerando a Convenção Batista do Norte, abolicionista, e a do Sul, antiabolicionista. Em linhas gerais, os batistas do norte eram influenciados pelo liberalismo teológico europeu, com sua leitura crítica da Bíblia, e abertos a movimentos progressistas e sociais. Por sua vez, os do sul, muito mais numerosos, combatiam o liberalismo teológico com o fundamentalismo e com uma leitura literal da Bíblia, e eram avessos a qualquer integração entre negros e brancos e assistencialismos sociais. Os do norte defendiam o diálogo com outras tradições cristãs e, portanto, consideravam o Brasil, por exemplo, um campo já evangelizado pelos católicos. Os do sul enxergavam os batistas como a "verdadeira" tradição apostólica e desembarcaram no Brasil dispostos a converter os nativos e rebatizá-los como evangélicos. Pelas décadas seguintes, as missões brasileiras da Convenção Batista do Sul foram organizadas pela Junta de Richmond, Virginia (Richmond, não custa lembrar, foi capital dos Estados Confederados Americanos pela maior parte do tempo que durou a Guerra Civil).

Foi da divisão de uma dessas igrejas batistas, em Belém do Pará, que em 1911 surgiu a primeira Assembleia de Deus no Brasil, fundada por Gunnar Vingren e Daniel Berg, dois suecos que haviam se conhecido nos Estados Unidos durante a explosão original do pentecostalismo. O movimento pentecostal era a peça que faltava para montar o quebra-cabeça da igreja evangélica brasileira. Através do século 20, o Brasil se tornaria um dos maiores países pentecostais do mundo, com 24 milhões de fiéis,[9] um número impressionante em termos absolutos e ainda mais em termos proporcionais: 60% dos declarados evangélicos,[10] com uma influência incalculável até mesmo entre as igrejas protestantes históricas (presbiterianos, luteranos, metodistas, batistas, anglicanos).

A ênfase pentecostal na experiência sobrenatural e sua escatologia pessimista ("o mundo jaz no maligno" [1Jo 5.19, RC]) veio se somar à herança missionária americana original avessa ao cristianismo social, influenciando uma igreja evangélica mais voltada para o espiritual do que para as questões imediatas de uma sociedade que, no fundo, não passaria de um palco para o mal. O rigor moral do pentecostalismo clássico vem da ênfase na doutrina da "perda da salvação": a ideia de que mesmo um crente fiel pode ir para o inferno se morre "em pecado". Já o ímpeto missionário pentecostal está intimamente ligado ao entendimento de que o Espírito Santo motiva o crente a ser testemunha "em Jerusalém, em toda a Judeia, em Samaria e nos lugares mais distantes da Terra" (At 1.8) — e, como já vimos, desde sempre nossa noção de "evangelizar" é igual a subjugar, doutrinar, aculturar, e ações sociais só se justificam como armadilhas para o proselitismo religioso.

São marcas fortes do que se convencionou chamar genericamente de "igreja evangélica brasileira". Que ajudam a explicar, por exemplo, porque sejam tão conhecidas as opiniões de nossos líderes a respeito da homossexualidade e tão pouco conhecidas suas opiniões a respeito de um assunto muito mais presente na Bíblia, que é a justiça social. Ajudam a explicar porque o eleitor evangélico prefere votar em um candidato com uma agenda moral do que em outro com agenda social — e isso mesmo entre eleitores mais pobres.[11] Ajudam a explicar por que os políticos da chamada "Bancada Evangélica" respondam a processos por corrupção, peculato, crime eleitoral, uso de documentos falsos, lavagem de dinheiro e estelionato[12] e se unam à chamada "Bancada da Bala" contra a Lista Suja do Trabalho Escravo[13] e, ainda assim, sejam reeleitos e celebrados por tantos fiéis como verdadeiros homens e mulheres de Deus. Afinal, o que se espera deles é que aproveitem seus espaços para fazer proselitismo, lutem pelos interesses das instituições religiosas que o elegeram e que tenham um discurso de preservação dos costumes. O resto são "questões sociais nas quais o evangelho não tem nenhum interesse real", como ouviu Martin Luther King de pastores brancos do sul dos Estados Unidos durante o movimento dos direitos civis nos anos 1960.[14]

King não entendia como uma "religião totalmente transcendental", que produz "uma distinção estranha, não bíblica, entre corpo e alma, sagrado e secular",[15] pode se dizer baseada na mensagem de Jesus. Mas é comum ainda hoje que pastores e líderes cristãos definam as pautas de direitos civis e direitos humanos como uma agenda "da esquerda", e não do evangelho. Criamos até um resposta para isso: "Direitos humanos são para humanos direitos", como se "a dignidade inerente a todos os membros da família humana"[16] fosse apenas para quem a faz por merecer. E, especialmente, como se nosso relacionamento com Deus fosse baseado em mérito, e não na graça.

John Stott define direitos humanos como "o direito de ser humano e, assim, desfrutar a dignidade de ter sido criado à imagem de Deus".[17] Já o presidente Jair Bolsonaro prefere definir direitos humanos como "o esterco da vagabundagem".[18] Bolsonaro foi eleito com um programa de governo que resumia direitos humanos a ações de "defesa das vítimas da violência": reformar o Estatuto do Desarmamento, conceder direito à posse de armas ao cidadão, reduzir a maioridade penal, extinguir a redução de penas de prisioneiros com bom comportamento e as saídas temporárias em datas especiais para detentos no semiaberto.[19] Para colocar sua visão em prática, Bolsonaro anunciou Damares Alves, ex-assessora parlamentar do senador Magno Malta e pastora da Igreja Batista da Lagoinha, como responsável pelo Ministério da Mulher, da Família e dos Direitos Humanos. Que Jair Bolsonaro contasse com uma evangélica para colocar em prática sua "releitura sobre o que são direitos humanos"[20] nos leva a refletir sobre o quanto a influência cristã no cuidado dos mais frágeis mudou desde os tempos de Martin Luther King.

E aqui, com as questões sociais nas quais o evangelho tem, sim, interesse real, começa minha segunda resposta possível, em que eu assumo o desafio de oferecer ao leitor um olhar alternativo à igreja que ocupa os holofotes da política e da mídia brasileira. Um olhar voltado para o que a Bíblia nos ensina a respeito da igreja de Jesus, uma multidão de gente que se reúne em comunidades as mais variadas, desde as mais conservadoras às mais progressistas. Gente que continua vestindo os que estão nus, visitando os que estão presos, alimentando os que estão famintos, oferecendo-se para ser as mãos, os ombros, as pernas e o coração do mesmo Jesus de Nazaré que andou "por toda parte fazendo o bem" (At 10.38) e restaurando a dignidade de milhares de vidas que a sociedade insiste em chamar de indignas de viver.

Gente como o pastor Paulo Cappelletti, que começou a acolher em sua própria casa, junto de sua família, moradores de rua da região metropolitana de São Paulo, especialmente transexuais e prostitutas. Hoje a Missão SAL (Salvação, Amor e Libertação)[21] cuida de mais de trinta pessoas, de bebês a idosos, de viciados a travestis expulsos de suas famílias.

Gente como a missionária Edméia Williams, que aos 75 anos continuava cuidando da Casa de Maria e Marta, um projeto social dedicado a atender dezenas de crianças do morro Dona Marta, no Rio de Janeiro, oferecendo refeições, aulas de reforço escolar, informática, música e canto, além de material didático e roupa.

Gente como o pastor João Boca, que lidera o trabalho da Missão CENA[22] junto a moradores de rua, usuários de drogas, crianças em situação de risco, travestis e prostitutas da Cracolândia, uma das regiões mais degradadas do centro de São Paulo. A Missão conta com voluntários que oferecem atendimento psicológico e jurídico, cuidam dos bebês na Creche Esperança, ministram cursos profissionalizantes ou cozinham nos albergues de inverno. O lema da Missão CENA é quase a antítese do "Lebensunwertes Leben" nazista: "Nenhuma vida é lixo a ser removido".

Gente como o pernambucano Fábio Silva, que voltou de um curso de articulação de voluntariado nos Estados Unidos e criou uma incubadora no Recife que mobiliza mais de mil voluntários para mais de quarenta projetos sociais na região. A incubadora ganhou o nome de Movimento Novo Jeito e acabou gerando a plataforma digital Transforma Brasil,[23] que conecta voluntários e organizações sociais por meio da internet.

Gente como o pastor Pedro Rocha Junior, cujo sonho era conhecer Jerusalém e "andar por onde Jesus andou", mas que sentiu Jesus lhe dizendo que, mais do que vê-lo andando pela Terra Santa, ele queria era andar, por intermédio dos pés de Pedro, pelo morro do Borel. Assim, o pastor Pedro do Borel começou um projeto chamado Associação HAJA,[24] que trabalha em diversas frentes de combate à pobreza extrema com crianças, adolescentes e suas famílias no entorno do lixão do Jardim Gramacho.

Gente como Carlos Bezerra Jr., que enquanto deputado estadual foi autor da Lei Paulista de Combate ao Trabalho Escravo e dos Programas Mãe Paulistana e Mãe Paulista. Gente como os jovens André Soler e Vinícius Lima, que, com o objetivo de "humanizar o olhar das pessoas", criaram o SP Invisível,[25] movimento de conscientização em favor de ações para os mais frágeis. Gente como Marina Silva, eleita "Mulher do ano" de 2014 pelo jornal inglês *Financial Times*, graças a seu trabalho como ambientalista.[26]

E gente como o pastor presbiteriano Antônio Carlos Costa, que fundou na favela do Jacarezinho a ONG Rio de Paz,[27] com diversos serviços sociais que vão de cursos profissionalizantes a uma ouvidoria que leva as reivindicações dos moradores ao poder público e à imprensa. Inspirado nos protestos criativos e na "tensão não violenta" de Martin Luther King, e motivado por "tudo o que o evangelho ensina sobre o valor da vida humana e o apego que o cristão deve ter em relação a justiça", Costa decidiu ir para as ruas.[28] Começou fincando setecentas cruzes pretas nas areias de Copacabana, para representar as vítimas de violência nos dois primeiros meses de 2007. Contribuiu para o fim do "regime de campo de concentração" em que viviam 4 mil homens nas catorze carceragens da Polícia Civil do Rio de Janeiro, quando ameaçou mobilizar voluntários para encenar diante da imprensa nacional e internacional uma réplica daquela situação hedionda. Em 2013, em plena euforia da construção de estádios para a Copa do Mundo, colocou quinhentas bolas de futebol nas areias de Copacabana representando o "meio milhão de brasileiros assassinados nos últimos dez anos".²⁹ Alguns meses depois, ajudou, com seus canais de mobilização e pressão, na organização da primeira Delegacia de Descoberta de Paradeiros, que funciona até hoje na Cidade da Polícia, no Rio, elucidando casos e amparando famílias.

Em maio de 2019, Antônio Carlos Costa foi convidado a falar em um encontro para líderes cristãos na cidade de Águas de Lindóia, interior de São Paulo. O tema do encontro era "Espiritualidade Bíblica para uma Igreja Transformadora". Costa levou ao púlpito um exemplar do livro *A autobiografia de Martin Luther King* e propôs à plateia um emocionado e dolorido paralelo entre as palavras do pastor batista premiado com o Nobel da Paz de 1964 e a realidade de um Brasil cada vez mais evangélico:

> *Em dias abafados de verão e frescas manhãs de outono observei as belas igrejas do sul com suas torres elevadas apontando para os céus. Contemplei a silhueta dos seus amplos prédios destinados a educação religiosa e muitas vezes me percebi perguntando: "Que tipo de pessoa frequenta essa igreja?"*
>
> Confesso a vocês que essa é a pergunta que eu mais tenho me feito nos últimos doze anos: "Que tipo de pessoa frequenta essa igreja?". [...]
>
> Onde estavam os meus amigos pastores quando o exército brasileiro metralhou o carro de um músico com cinco pessoas dentro? Oitenta tiros que abreviaram a vida de um brasileiro?³⁰ Três tiros de fuzil que mataram um catador de papel?³¹ Por que meus irmãos não foram para as ruas? Porque na chacina de Osasco os irmãos das igrejas de São Paulo não foram às ruas?³² Por que no massacre do Carandiru os evangélicos não se levantaram para protestar?³³ [...]
>
> Se continuarmos a dizer que o homem foi criado à imagem e semelhança de Deus e não tivermos nada a declarar sobre um

presídio transformado em campo de concentração, se continuarmos ignorando os bolsões de miséria das nossas cidades, e se nossos filhos encontrarem nas universidades os marxistas demonstrando mais paixão pela justiça social do que enxergam nos membros de suas igrejas... Vai ser difícil que a sociedade olhe para essa igreja como quem olha para uma cidade edificada num monte.

11
Religião

....

"Grite alto, com todas as suas forças!
  Grite alto, como o som da trombeta!
Fale ao meu povo, Israel,
  sobre sua rebeldia e seus pecados!
Apesar disso, agem como se fossem piedosos!
Vêm ao templo todos os dias
  e parecem ter prazer em aprender a meu respeito.
Agem como nação justa
  que jamais abandonaria as leis de seu Deus.
Pedem que eu atue em favor deles
  e fingem querer estar perto de mim.
Dizem: 'Jejuamos diante de ti!
  Por que não prestas atenção?
Nós nos humilhamos com severidade,
  e tu nem reparas!'.

"Vou lhes dizer por quê", eu respondo.
  "É porque jejuam para satisfazer a si mesmos.
Enquanto isso, oprimem seus empregados.
  De que adianta jejuar, se continuam a brigar e discutir?
Com esse tipo de jejum,
  não ouvirei suas orações."

Isaías 58.1-4

....

"Deus o colocou aqui e não vai deixá-lo só", diz o pastor William Ferreira, da Assembleia de Deus Cruzada de Fogo, de Monte Sião. Acompanhado de um grupo de pastores, Ferreira viera do sul de Minas Gerais para falar com Jair Bolsonaro. Agora, ali estava o presidente da República, do outro lado do cercadinho montado nos jardins do Palácio do Planalto, ouvindo com atenção o que aquele pastor dizia. "Assim como Deus levantou um exército para estar com Gideão, com trombeta na mão para tocar, existe Assembleia de Deus, a [Igreja] Presbiteriana, a Deus é Amor, o Ministério Aviva, várias igrejas que estão toda noite, de joelhos, orando", o pastor prossegue. "E nós, como evangélicos, passamos para o senhor: se o senhor proclamar um jejum para toda a nação... O senhor é a autoridade maior que tem neste país. No livro do profeta Joel, ele entrou naquela cidade para proclamar um jejum para toda a nação. Católicos, espíritas, evangélicos, todos. Vamos jejuar. Vamos orar a Deus. Isso aí depende do senhor. O que o senhor falar aqui na terra, com esses pastores [aponta para o grupo à sua volta] que estão aqui, com os seguranças [aponta para os homens que faziam a segurança do presidente], tudo o que nós ligarmos aqui na terra será ligado no céu. Amém?"[1]

Dois anos antes, Willian Ferreira havia sido candidato a deputado federal pelo PSL, à época o mesmo partido de Bolsonaro. No entanto, apesar do *slogan* "Juntos somos mais fortes, com Deus somos imbatíveis", Ferreira não se elegeu. Agora, na manhã de 2 de abril, uma quinta-feira, ele estava em Brasília, junto de outros sete colegas pastores, para pedir ao presidente que abrisse "uma linha de crédito para as igrejas", a fim de construir um templo para "duas mil pessoas, sentadas". Ferreira também criticou o isolamento social como forma de atenuar os efeitos do coronavírus, porque, segundo ele, isso estava prejudicando as malharias de Monte Sião e comprometendo as ofertas das igrejas. O encontro durou cerca de quinze minutos. Bolsonaro ouviu a queixa dos pastores, queixou-se ele também de "certos governadores", e gravou uma mensagem aos fiéis de uma das igrejas no celular do pastor. Ao final, oraram pelo presidente, todos em voz alta e ao mesmo tempo, levantando as mãos em direção a ele. Agradeceram e partiram de volta para Monte Sião.

Antes mesmo que chegassem ao sul de Minas, podiam ter ouvido no rádio: "Sou católico, e minha esposa, evangélica". Era Jair Bolsonaro no programa *Os Pingos nos Is*, da Jovem Pan, em entrevista a Augusto Nunes. "É um pedido dessas pessoas. Estão pedindo um dia de jejum para quem tem fé. Então, a gente vai, brevemente, com os pastores, padres e religiosos, anunciar aí, pedir um dia de jejum para todo o povo brasileiro, em nome, obviamente, de que o Brasil fique livre desse mal o mais rápido possível."[2] Poucas horas depois, já circulava pelas redes sociais um cartaz em verde e amarelo, com a foto de Bolsonaro com a faixa presidencial e a chamada "Santa convocação do nosso presidente Jair Messias Bolsonaro", além da *hashtag* #jejumnacional. Diversos pastores apareceram para reivindicar a ideia sugerida ao presidente. Sem perder tempo, Silas Malafaia colocou um vídeo no ar em seu canal oficial, propondo que o jejum fosse feito da zero hora ao meio-dia do domingo, 5 de abril de 2020.[3] Marco Feliciano também compartilhou o cartaz, dizendo que "as forças do mal se levantam contra um presidente cristão, temente a Deus e defensor da família!".[4] As redes sociais dos evangélicos foram tomadas de vídeos de pastores e estrelas *gospel* aderindo ao apelo.

(Cabe dizer que ideia do jejum esteve longe de ser unânime. O pastor Guilherme de Carvalho, diretor do projeto Cristãos na Ciência e que, até semanas antes, trabalhava como diretor de Promoção e Educação em Direitos Humanos na equipe da ministra Damares Alves, disse que um "presidente pode pedir a autoridades para orar e cooperar com o país", mas "não tem autoridade" para "convocar autoridades religiosas nem pastores evangélicos". Segundo ele, havia ali "uma clara violação do princípio da soberania das esferas".[5] A pastora luterana Romi Márcia Bencke também foi crítica: "Em um Estado laico, não é papel do presidente convocar jejum e oração. A tarefa do presidente é seguir a Constituição, colocar toda a sua energia para resolver junto com os demais poderes instituídos esta crise gigantesca que está instalada no país".[6] O pastor Antônio Carlos Costa, por sua vez, tuitou que "jejum sem arrependimento é provocação à santidade de Deus".[7])

A disciplina do jejum faz parte da tradição de diversas religiões, como do hinduísmo, do islamismo e, é claro, do judaísmo e do cristianismo. A Bíblia está repleta de exemplos de personagens que jejuaram, como Moisés, Samuel, Neemias e Daniel, e também de relatos de jejuns coletivos diante de alguma calamidade pública. Em geral, é uma prática associada à oração, ao quebrantamento, ao arrependimento e à humilhação, e não apenas à privação de alimento. Jesus trouxe cores novas sobre o jejum, explicando a importância de fazê-lo discretamente, na presença do Pai, "que observa em segredo" (Mt 6.18).

Apenas dois dias depois da convocação de Bolsonaro, o prefeito de Sarandi, cidade no interior do Rio Grande do Sul, publicou um decreto instituindo "sete dias de oração" para que "possamos vencer a pandemia e seus efeitos destruidores". O decreto municipal 3701/20 declarava ainda que Deus "tem poder para determinar a bênção sobre Sarandi e sobre toda a terra".[8] Nas redes sociais, o prefeito Leonir Cardozo recebeu muitas críticas por ter violado a laicidade do Estado ("se fosse umbandista vocês não iriam gostar") e muitos elogios por parte dos evangélicos ("Estado laico não salvará aqueles que rejeitam o evangelho").

Trata-se da sempre urgente discussão sobre Igreja e Estado, sobre a esfera pública e a fé pessoal, sobre os limites para a influência da religião na política. Antes, porém, de nos aprofundarmos no assunto, procuremos entender a diferença entre religião e espiritualidade — e esclarecer por que essa distinção é fundamental na mensagem de Jesus Cristo.

A palavra "religião" vem do latim *religio*, que significa "culto, prática religiosa, cerimônia, lei divina, santidade". Linguistas se dividem entre as teses de que essa forma nominal teria vindo do verbo *relegere* ("reler, revisitar") ou então do verbo *religare* ("religar, atar"). Entre os eruditos, ganha a primeira hipótese, como se religião fosse uma forma de reler e reinterpretar constantemente os textos sagrados. Entre os religiosos, ganha a visão romântica de que religião é uma forma de reconectar o humano e o divino.[9] Em todo caso, "religião" é, popularmente, entendido como um sistema de coisas que nós fazemos, lemos, debatemos, praticamos ou renunciamos em nome da fé.

Espiritualidade é outra coisa. É um atributo humano, tanto quanto a materialidade, por meio do qual nos relacionamos com realidades que não se submetem às nossas faculdades sensoriais. Segue um exemplo banal: o primeiro beijo entre dois adolescentes. A ciência/materialidade o descreverá como o contato entre as mucosas labiais por meio da qual um casal pode avaliar, com base no toque e na troca de saliva, o potencial mútuo para a fecundação, com tanta descarga de ocitocina e endorfina que nos faz fechar os olhos e nos dá prazer. Esse foi o seu primeiro beijo? Tenho certeza que não. A espiritualidade, em contrapartida, procurará explicar o que não está no campo da matéria, descrevendo o beijo por meio de canções, filmes, poemas e emoções compartilhadas. Ela não se opõe à ciência; apenas considera que há outras realidades que não estão sob os domínios dos microscópios ou das planilhas de Excel. É a espiritualidade que explicará por que arriscamos nossa integridade física a fim de ajudar alguém em perigo. Ou porque nos comovemos com coisas tão cotidianas quanto o pôr do sol ou a morte.

Bem, espero não causar grande espanto no leitor ao dizer que a mensagem de Jesus Cristo diz mais respeito ao campo da espiritualidade que ao da religião.

Em determinado momento de seu ministério, relatado em João 4.1-38, Jesus fez uma parada na região da Samaria, atual Cisjordânia. Havia, entre os judeus e samaritanos, uma tensão constante causada por esse sistema de práticas chamado "religião". Os samaritanos eram tidos como "impuros", por terem misturado as tradições hebraicas a de outros povos e criado uma religião sincrética. Àquela altura, os judeus se julgavam tão superiores que não consideravam adequado sequer falar ou se relacionar com samaritanos. Aliás, a maior parte deles optava por se desviar de Samaria, preferindo fazer um caminho mais longo a entrar naquela terra desprezada. Jesus, porém, não apenas fez o caminho que atravessava Samaria, como também parou para comer ali e, absurdo dos absurdos, dirigiu-se a uma mulher samaritana. Tudo errado, do ponto de vista religioso. A mulher, aparentemente, tinha mais apreço pela religião que o próprio Jesus: "Você é judeu, e eu sou uma mulher samaritana", diz ela. "Como é que me pede água para beber?" (Jo 4.9).

Todo o diálogo que se segue mostra Jesus tentando fazer a mulher enxergar além dos códigos religiosos. Uma das perguntas que a samaritana lhe faz diz respeito ao local "verdadeiro" para a adoração a Deus. Seria em Jerusalém, como diziam os judeus, ou seria no monte Gerizim, como acreditava seu povo? A resposta de Jesus é maravilhosa: "Creia em mim, mulher, está chegando a hora em que já não importará se você adora o Pai neste monte ou em Jerusalém" (Jo 4.21). Jesus não nega que os judeus têm mais conhecimento teológico que os samaritanos; no entanto, anuncia que "está chegando a hora, e de fato já chegou, em que os verdadeiros adoradores adorarão o Pai em espírito e em verdade", pois "Deus é espírito, e é necessário que seus adoradores o adorem em espírito e em verdade" (Jo 4.23-24).

Jesus está nos ensinando que a religião conduziu a humanidade até ele, como as professoras conduzem as crianças do jardim de infância até seus pais. A partir de Jesus, porém, nós nos relacionamos em espírito com um Deus que é Espírito. É uma distinção clara entre materialidade e espiritualidade. Quem prova da "água viva" já não quer saber do simples composto de hidrogênio e oxigênio. Apegar-se novamente às práticas rituais da religião como único caminho para acessar as realidades espirituais é o mesmo que regressar ao jardim de infância de mãos dadas com a professora.

O Sermão do Monte, mais uma vez, aprofunda a questão (Mt 5—7). Palavra após palavra, Jesus vai dando novo significado a tudo o que seus ouvintes entendiam sobre mandamentos, cerimônias, leis religiosas e obras de justiça. O que era *performance* pública é levado agora para o âmago do coração, para as intenções mais inconfessáveis, para o secreto do quarto. Não matar, não cometer adultério, não se divorciar, jejuar, orar, dar dízimo e guardar o sábado — Jesus arranca tudo isso dos domínios da religião e leva para a dimensão da espiritualidade. De fato, sua palavra para os amantes dos rituais é a de que são "túmulos pintados de branco: bonitos por fora, mas cheios de ossos de toda espécie de impurezas por dentro" (Mt 23.27). Religião *versus* espiritualidade.

O apóstolo Paulo também traz suas contribuições para o assunto: em Cristo, diz ele, acaba o etnocentrismo da religião tribal, e agora "não há mais judeu nem gentio, escravo nem livre, homem nem mulher, pois todos vocês são um em Jesus Cristo" (Gl 3.28). Cristo nos libertou "dos princípios espirituais deste mundo", então não há razão para continuar a seguir as regras religiosas que dizem: "Não mexa! Não prove! Não toque!"; tudo isso são apenas "ensinamentos humanos sobre coisas que se deterioram com o uso" e que "em nada contribuem para vencer os desejos da natureza pecaminosa" (Cl 2.21-23).

Esse desinteresse pelos mecanismos religiosos é cristalino no evangelho de Jesus, mas é um erro pensar que os profetas do Antigo Testamento já não o tivessem expressado séculos antes. Isaías, por exemplo, viveu mais de seiscentos anos antes de Cristo e foi a voz de Deus para o povo de Judá por quatro décadas. Um tema recorrente de suas profecias é o repúdio de Deus pelo que Eugene Peterson traduz como "joguinhos religiosos" (Is 1.1, *A Mensagem*), isto é, os rituais vazios realizados por um povo egoísta e hipócrita na tentativa de barganhar o favor de Deus. "Não olharei para vocês quando levantarem as mãos para orar; ainda que ofereçam muitas orações, não os ouvirei, pois suas mãos estão cobertas de sangue", diz Deus por meio do profeta. "Aprendam a fazer o bem e busquem a justiça. Ajudem os oprimidos, defendam a causa dos órfãos, lutem pelos direitos das viúvas" (Is 1.15,17). Segundo o teólogo David F. Payne, o que está claro nas palavras de Isaías é que "Deus rejeita toda essa parafernália de observância exterior, a não ser que seja acompanhada de justiça social e de consideração pelos desprivilegiados".[10] É a mesma tecla em que batem outros profetas, como Oséias (Os 6.6), Amós (Am 4.1-5) e Miqueias (Mq 6.8).

O capítulo 58 de Isaías foi amplamente citado pelos que criticaram o jejum convocado por Jair Bolsonaro. Quando o texto foi escrito, o povo judeu vivia uma fase de reconstrução após ser liberto do cativeiro na Babilônia. O jejum coletivo talvez fosse imaginado como uma "arma secreta" para potencializar o sucesso do povo. Por meio de Isaías, porém, Deus repreende fortemente o apego às minúcias ritualísticas ("Vocês se humilham ao cumprir os rituais: curvam a cabeça, como junco ao vento, vestem-se de panos de saco e cobrem-se de cinzas. É isso que chamam de jejum?") e desmascara a falta de sinceridade da nação ("De que adianta jejuar, se continuam a brigar e discutir?"). Desse modo, o jejum do povo jamais chegará a Deus, pois "jejuam para satisfazer a si mesmos. Enquanto isso, oprimem seus empregados". Então, Isaías diz qual é o tipo de jejum que agrada a Deus: "Soltem os que foram presos injustamente, aliviem as cargas de seus empregados. Libertem os oprimidos, removam as correntes que prendem as pessoas. Repartam seu alimento com os famintos, ofereçam abrigo aos que não têm casa. Deem roupas aos que precisam, não se escondam dos que carecem de ajuda" (Is 58.1-7)

Espiritualidade é o que diferencia o ser humano dos outros animais, é o que recompõe em nós a imagem e semelhança de um Deus que é amor, que sofre com o que sofre e chora com o que chora.

O resto é ritual religioso.

Se não entendermos isso, jamais entenderemos que Jesus desarmou toda a lógica meritória da religião, segundo a qual trocamos sacrifícios por benefícios, e nos ofereceu o amor de Deus graciosamente, amando-nos quando não o amávamos (Ef 2.8; 1Jo 4.10). Ele tomou o sagrado das mãos do clero, quando fez de todos os cristãos sacerdotes, que "oferecem sacrifícios espirituais que agradam a Deus" (1Pe 2.5,9). Por meio de Jesus, o Espírito do Deus criador e todo-poderoso já não habita dentro de templos suntuosos, mas sim dentro de todos os que nele creem (1Co 3.16-17), um Deus em quem "vivemos, nos movemos e existimos" (At 17.28).

Diante de uma espiritualidade monumental como esta, a performance de homens engravatados recitando versículos e convocando jejuns pela Jovem Pan só revela o oceano que os separam da mensagem de Jesus.

É preciso traçar uma linha clara que separa Jesus daqueles que falam em seu nome mas só se preocupam com seus próprios interesses. Contudo, também é preciso tomar cuidado com o mantra do neoateísmo, segundo o qual "a religião é o câncer do mundo", e com a ideia cada vez mais insistente de que a fé precisa ficar relegada a assuntos de foro íntimo, ao território das lendas e superstições. É o que defendem profetas do ateísmo como o biólogo Richard Dawkins e o já falecido jornalista Christopher Hitchens. Posto tudo o que foi dito nos parágrafos acima, quero oferecer algumas razões para não cairmos nessa esparrela.

A primeira tem a ver, ironicamente, com o irmão crente de Christopher, Peter Hitchens, também jornalista. Como Christopher, Peter abandonou a fé cristã de seus pais na adolescência, no final dos anos 1960. Dois anos mais moço, Peter ritualizou seu ateísmo queimando uma Bíblia no pátio de sua escola, em Cambridge, diante dos amigos. Gostava de se acreditar "esperto demais para acreditar" em Deus. Enquanto isso, seu irmão Christopher ganhava notoriedade como comentarista político, alcançando fama internacional em 2007, quando lançou *Deus não é grande: Como a religião envenena tudo*, uma das pedras fundamentais do neoateísmo. Peter, por sua vez, virou trotskista, filiou-se ao Partido Trabalhista inglês e começou a carreira de repórter. Acontece que, no final da década de 1980, Peter se ofereceu para trabalhar como correspondente do jornal *Daily Express*, em Moscou, cobrindo o fim do regime soviético no Leste europeu. Por cinco anos, transitou por sociedades ateias, convivendo com "a miséria e a grosseria". O que deveria soar como o paraíso socialista de eficiência e justiça humanista, pelo contrário, o fez valorizar cada dia mais a sociedade cristã como referência de ética, civilidade e cortesia. Em seu livro *The Rage Against God: How Atheism Led me to Faith* [Raiva contra Deus: Como o ateísmo me conduziu à fé], Peter conta como o clichê de que "a religião é o câncer do mundo" não resistiu ao tempo que ele passou observando o resultado de seis décadas de não religião na Rússia. ("Se na época eu fosse capaz de ver a Londres de 2010, eu ficaria igualmente chocado", alfinetou.[11]) Peter Hitchens voltou à Inglaterra, e hoje é um cristão engajado, membro da Igreja Anglicana.

Uma segunda história a respeito da presença da religião na sociedade diz respeito ao pastor luterano alemão Dietrich Bonhoeffer. Detido pela Gestapo nazista por seu envolvimento em uma conspiração contra Hitler, passou mais de um ano numa prisão em Tegel, na Alemanha. Seu único meio de comunicação com o mundo exterior eram as cartas que enviava a seu melhor amigo, Eberhard Bethge. Em pensamentos soltos e confidências, Bonhoeffer começou a esboçar a necessidade de um "cristianismo sem religião" para uma sociedade urbana madura, educada, superinformada. Bonhoeffer se perguntava: "Em que sentido nós na igreja somos os [...] que são convocados, não para nos considerarmos especialmente favorecidos de um ponto de vista religioso, mas sim como pertencentes de modo completo ao mundo? Nesse caso, Cristo não é mais um objeto de religião, mas algo bastante diferente: de fato, o Senhor do mundo. Mas o que isso significa?". Bonhoeffer considerava que o "Deus das lacunas", o Deus do encanto do homem infantil diante do inexplicável, estava com os dias contados. Esse Deus, assim como o Deus moralista dos usos e costumes, era para Bonhoeffer como que uma amputação do Deus revelado por Jesus. "Bonhoeffer questiona se não era o momento de trazer Deus para o mundo e parar de fingir que ele deseja apenas viver nos remotos cantos religiosos que lhe reservamos", diz seu biógrafo Eric Metaxas. As cartas do teólogo continuam: "Gostaria de falar de Deus não em margens, mas no centro, não em fraquezas, mas na força e, por conseguinte, não em morte e culpa, mas na vida e na bondade do homem. [...] Qual a aparência desse cristianismo sem religião, qual forma possui, é algo no qual muito tenho pensado e estarei lhe escrevendo a respeito em breve".[12] Dietrich Bonhoeffer foi morto pelos nazistas em abril de 1945, sem poder formular com mais profundidade sua teologia de um cristianismo sem religião.

Com a urbanização, o avanço tecnológico e o progresso científico, seus questionamentos foram se tornando mais e mais pertinentes. Afinal, quanto do que nós fazemos em nome de Jesus vai além da mera religiosidade?

Religião é a forma como nós organizamos nossa espiritualidade e nosso conjunto de crenças e práticas: se vamos à igreja ou se nos reunimos nas casas, se nos encontramos aos sábados ou aos domingos, se o ritmo dos nossos cânticos podem ser acompanhados com palmas ou se devemos evitar o movimento do corpo, se podemos orar todos em voz alta ao mesmo tempo, se um por vez ao microfone, se ajoelhados em silêncio ou a partir de um Livro de Oração. É esse tipo de coisa que ocupa meu tempo e minha energia? Essas coisas são, de fato, ferramentas indispensáveis para que eu cuide dos órfãos e das viúvas e não me deixe corromper pelo mundo? Será que a agenda e os discursos de nossas comunidades religiosas estão a serviço das ovelhas perdidas ou a serviço de um plano de poder para impor nosso sistema religioso a toda a sociedade?

Religião é o que leva sete homens a colocar seus melhores ternos e viajar mais de mil quilômetros para falar com seu presidente. A questão é saber se, chegando lá, eles são capazes de oferecer em vez de pedir. Se vão colocar quatro mil mãos para auxiliar num momento de crise ou se vão solicitar uma linha de crédito para erguer um templo com dois mil lugares. Se vão orar para que Deus revista o presidente de sabedoria (1Rs 3.11-12) ou se vão declarar que os "inimigos" do presidente não prevalecerão. Se vão cobrir o Brasil com a espiritualidade de Jesus ou se vão propor rituais que a Bíblia garante que não chegarão a Deus. Se vão jogar seus "joguinhos religiosos" ou se vão dizer ao presidente que Deus ordena que ele solte os que estão presos injustamente, que os empresários aliviem a carga de seus empregados, que os oprimidos sejam libertos, que o alimento seja distribuído no país de forma mais simétrica, que os que não têm casa sejam abrigados.

Há mérito, e não é pequeno, no fato de Jair Bolsonaro reconhecer a importância desse contingente enorme da população brasileira chamado "evangélicos". Trata-se de uma fatia demográfica que, já em 2010, incluía 26 milhões de pessoas, a maioria delas negra e parda e do sexo feminino, ganhando menos de dois salários mínimos por mês.[13] Em lugares desprezados pelo poder público, abandonados por seus governantes, milhões de pessoas saem da invisibilidade social, ganham nome e voz, o título de "irmã" e "irmão", têm contato semanal com a palavra escrita, ouvem que a solução não está na bebida, que há uma realidade mais justa que esta, que vale a pena acreditar no casamento, nos filhos, nos idosos. Esse grupo enorme de pessoas se reconhecia nas ruas, nos supermercados, na fila dos bancos, mas continuava invisível para a imprensa, para as grandes marcas, para os políticos em geral. Seus ajuntamentos monumentais, em ginásios e estádios de futebol, nunca eram dignos de menção. A mesma emissora que levava ao ar telenovelas kardecistas retratava pastores como charlatães e fiéis como tolos fanáticos. Bolsonaro é o presidente que desce do carro oficial para cumprimentar os pastores na calçada e isso não é pouca coisa, sociologicamente falando.

O nível de sinceridade e de oportunismo nesse movimento de Bolsonaro em direção aos evangélicos é algo que cabe a Deus julgar. Mas é fato que ele enxergou um contingente do Brasil profundo até então invisível. É fato também que é a essa base religiosa que ele recorre como estratégia de comunicação em momentos mais críticos de seu governo.[14] O que isso significa? Não sei dizer, mas o que sei é que sistemas religiosos, humanos, se deixam seduzir facilmente. O evangelho de Jesus, não.

Em junho de 2006, o então senador norte-americano Barack Obama participou de um evento da Call to Renewal [Chamado à renovação], uma ONG interdenominacional dedicada ao combate da pobreza. O evento se chamava "Construindo uma Aliança para uma nova América". Obama escolheu falar sobre religião e política e iniciou seu discurso propondo "alguns pensamentos sobre como podemos resolver algumas discussões às vezes amargas que temos visto nos últimos anos". Seu discurso é, a meu ver, um dos mais lúcidos manifestos sobre os limites e a cooperação entre a fé e a coisa pública. Meu trecho favorito é o seguinte:

> Todos nós conhecemos a história de Abraão e Isaque. Abraão recebe de Deus a ordem de oferecer como sacrifício seu único filho e, sem discutir, ele leva Isaque ao topo da montanha, amarra-o num altar e ergue sua faca, preparado para agir conforme Deus havia ordenado.
> É claro que, no fim, Deus envia um anjo para interceder no último minuto, e Abraão passa no teste de devoção a Deus.
> Cabe dizer, porém, que se algum de nós, saindo desta igreja, avistasse Abraão no telhado de um prédio erguendo sua faca, nós iríamos, no mínimo, chamar a polícia e esperar que o Conselho Tutelar tirasse Isaque das mãos de Abraão. Nós o faríamos porque não ouvimos o que Abraão ouve, não vemos o que Abraão vê, por mais verdadeiras que fossem tais experiências. Então, o melhor que podemos fazer é agir com base naquilo que todos nós enxergamos, que todos nós ouvimos, seja por leis comuns, seja pelo raciocínio básico.[15]

A má notícia para os cristãos é que nem todos vêm o que nós vemos ou sentem o que nós sentimos — por mais que eu desejasse ardentemente que sim. A boa notícia é que é exatamente no campo daquilo "que todos nós enxergamos", como diz Obama, que se cumpre a vontade de Jesus para nossa vida: "Suas boas obras devem brilhar, para que todos as vejam e louvem seu Pai, que está no céu" (Mt 5.16).

Quando aprendermos a colocar nossa religião a serviço da espiritualidade segundo Jesus Cristo, seremos o sal da terra e a luz do mundo e todos, religiosos e ateus, verão isso. Enquanto essa proporção estiver invertida e nossos ritos e rituais falarem mais alto que a voz do Cristo, na melhor das hipóteses estaremos barateando o preço do segmento "evangélico" para que o próximo político profissional o use em seu benefício.

12
Domínio, poder e política

> Ele também havia feito o que era mau aos olhos do
> Senhor. Seguiu o exemplo de Jeroboão nos pecados
> que tinha cometido e levado Israel a cometer.
>
> 1Reis 16.19

Em parte, a ideia neoateísta de que "a religião é o câncer do mundo" é consequência direta do uso que certa ala da igreja faz do moralismo e do dogmatismo como ferramentas para justificar seu preconceito, seu autoritarismo, sua intolerância e seu desejo por hegemonia. Se ficou claro para o leitor que a mensagem de Jesus e o sistema religioso nem sempre caminham juntos, gostaria de avançar neste capítulo em direção a um território mais complexo, sombrio e triste: o ponto em que projetos de dominação religiosa misturam suas águas às de projetos políticos autoritários.

Dois fenômenos evangélicos relativamente recentes contribuíram para essa junção entre autoritarismo político e domínio religioso. O ensino fundamental para transformar a mensagem de Jesus em preconceito e intolerância chama-se Batalha Espiritual. E o ensino fundamental para transformar o cristianismo em projeto de poder chama-se Teologia do Domínio. Ambos os movimentos são fruto de décadas de modismos doutrinários, pregadores carismáticos e ambientes religiosos em que "visões", "revelações" e "profecias" ficam em pé de igualdade com a sabedoria bíblica. Ambos nasceram no seio das igrejas neopentecostais (não por acaso as igrejas com que os políticos mais se interessam em dialogar) a partir do final dos anos 1980, e talvez seja importante retroceder até as raízes do pentecostalismo para entendê-los melhor. Afinal, o pentecostalismo é a tradição evangélica predominante no Brasil.

"Pentecostal" é uma referência ao Dia de Pentecostes narrado nos primeiros capítulos de Atos dos Apóstolos. No texto, o Espírito Santo é derramado sobre os discípulos, cumprindo a promessa que Jesus lhes havia feito pouco antes de ascender aos céus: "Vocês receberão poder quando o Espírito Santo descer sobre vocês, e serão minhas testemunhas em toda parte: em Jerusalém, em toda a Judeia, em Samaria e nos lugares mais distantes da terra" (At 1.8). Poucos dias depois disso, os primeiros cristãos estavam reunidos em Jerusalém para a Festa das Colheitas, uma das datas mais importantes do antigo calendário judaico. Como a festa ocorria cinquenta dias depois da Páscoa, era conhecida em grego como *pentekostes*, ou "quinquagésimo". A Bíblia narra que, por ocasião desse evento, havia na cidade "judeus devotos de todas as nações", quando, de repente, "algo semelhante a chamas ou línguas de fogo" pairou sobre cada um dos discípulos. Milagrosamente, cada um dos estrangeiros ali presentes "ouvia em seu próprio idioma" a respeito da mensagem de Jesus. O relato bíblico diz que, naquele dia, "houve um acréscimo de cerca de três mil pessoas" ao grupo dos que creram em Cristo (At 2.1-41).

O Dia de Pentecostes é, portanto, o evento fundador da igreja cristã. Todos os elementos da narrativa — os milagres, as línguas de fogo, os idiomas desconhecidos — ficaram desde sempre marcados no imaginário do cristianismo como símbolos do vigor da comunidade original de discípulos.

O pentecostalismo do século 20 é filho do movimento *holiness* [santidade] do século 19, e neto da doutrina da "segunda bênção" advogada pelo pregador inglês John Wesley e outros pioneiros do metodismo no século 18. Ambos os grupos defendiam a ideia de que Deus tem duas experiências sobrenaturais reservadas para o crente: o "novo nascimento", que ocorre na conversão, na qual a pessoa é perdoada e se torna filha de Deus, e a "santificação", na qual a pessoa é purificada e alcança a santidade por meio de um contato inconfundível com o Espírito Santo. A diferença é que Wesley entendia a santificação sobretudo como um processo gradual, ao passo que o movimento *holiness* defendia a santificação como uma experiência instantânea e transcendente, que "enchia" o cristão do poder do Espírito. A "segunda bênção" já era um tema que dividia os teólogos protestantes, mas o ensino da santificação como um evento rachou igrejas. Dali surgiram muitas novas denominações e muitos pregadores independentes que corriam o mundo adicionando novos ensinos e experiências à doutrina, o que acarretava novas divisões e subdivisões.

No final do século 19, o evangelista norte-americano Charles Fox Parham enfatizou um ponto que se tornaria um divisor de águas ainda maior. Segundo ele, em Atos 1.8, quando Jesus anunciou o derramamento do Espírito Santo, a promessa não era tanto de santidade, mas sim de *poder* — poder para que os discípulos fossem suas testemunhas em todos os cantos da terra. Avesso a denominações, Parham viajava pelos Estados Unidos plantando comunidades independentes e dando cursos em seu próprio nome, ensinando que os cristãos deviam orar fervorosamente para passar pela mesma experiência que os discípulos de Jesus tiveram no Pentecostes da Bíblia. Um desses alunos de Parham foi um filho de escravos da Louisiana chamado William J. Seymour. Não encontrando espaço nas igrejas tradicionais para as novas doutrinas que havia aprendido, Seymour montou uma comunidade na Rua Azusa, em Los Angeles. Ali viria a nascer, de fato e de direito, a primeira igreja pentecostal da história. Foi em abril de 1906, durante uma campanha de jejum, oração e estudo de Atos 2, que se deu o fenômeno conhecido como glossolalia, o "falar em línguas", uma oração "no espírito" em palavras ininteligíveis. Até então marcada pela integração racial e pelo espaço raro concedido às mulheres, a comunidade de Seymour se tornou conhecida por oferecer "o pentecostes" às pessoas e por defender o "dom de línguas" como sinal definitivo da segunda bênção — ou, como é chamado até hoje, de "batismo no Espírito Santo".

Tudo isso, evidentemente, ocasionou novas divisões: as igrejas *holiness* não concordavam que a glossolalia fosse condicional para o batismo no Espírito Santo; Parham não concordava que Seymour estivesse ganhando o crédito pelo movimento pentecostal que, em sua visão, ele iniciara; Seymour não concordava com as ideias segregacionistas de Parham; e lideranças de igrejas históricas não concordavam com aquilo que definiam como "selvageria", "fanatismo", "frenesi" e desvio doutrinário.[1]

Sem grandes diálogos com a teologia protestante histórica e marginalizado por causa de um forte preconceito social e racial, o pentecostalismo acabou seguindo, ao longo de boa parte do século 20, uma trilha muitas vezes à parte do restante das igrejas cristãs. E, considerando todas as suas nuances, seus subgêneros e as metamorfoses pelas quais passou, duas características atravessaram sua história, desde as palestras itinerantes de Parham até os grandes cultos movidos a iluminação computadorizada e gelo seco de hoje: primeiro, a convicção de que a marca do crente batizado no Espírito Santo é o *poder*; e, segundo, a ideia de que o avivamento pentecostal é prova da aproximação da volta de Jesus Cristo.

Essa expectativa escatológica também existiu na igreja de Atos 2. A Bíblia relata que, quando os apóstolos começaram a falar e ser compreendidos em outras línguas, entenderam que se cumpria ali a promessa feita pelo profeta Joel séculos antes: "'Nos últimos dias', disse Deus, 'derramarei meu Espírito sobre todo tipo de pessoa. Seus filhos e suas filhas profetizarão, os jovens terão visões, e os velhos terão sonhos. Naqueles dias, derramarei meu Espírito até mesmo sobre servos e servas, e eles profetizarão. Farei maravilhas em cima, no céu, e sinais embaixo, na terra'" (At 2.17-18; ver Jl 2.28-32). Aqueles primeiros cristãos ficaram tão convencidos da iminência do fim dos tempos que venderam tudo o que possuíam para repartir o dinheiro com os necessitados (At 2.45-46). Já no movimento pentecostal do início do século 20, as experiências sobrenaturais tiveram, segundo o pesquisador Gedeon Alencar, dois efeitos: "uma forte convicção da verdade aliada a um senso de urgência de que se precisa fazer o máximo no menor tempo possível",[2] e uma "aversão ao mundo", uma vez que "sua escatologia iminente não lhe dá tempo para pensar no presente".[3]

É imensa a importância do movimento pentecostal para a história do cristianismo. Não fossem Parham, Seymour e tantos outros, talvez o protestantismo ainda estivesse congelado no formalismo e na frieza teológica, refém do Saltério Genebrino e dos órgãos de tubo. Talvez continuássemos a ignorar o papel que a emoção, a espontaneidade e a entrega espiritual desempenham em nosso relacionamento com Deus. Igrejas históricas, e até mesmo o catolicismo carismático de hoje, são profundamente tributários do pentecostalismo original. Em contrapartida, seu apego às revelações individuais e às experiências sobrenaturais fizeram do movimento o braço do cristianismo mais vulnerável ao que a Bíblia chama de "vento de novos ensinamentos" (Ef 4.14) e de profecias de "iniciativa humana" (2Pe 1.20). Por décadas, essa vulnerabilidade se deu sobretudo dentro do campo doutrinário e teológico, dividindo igrejas e criando novas denominações. Mas, na "terceira onda", ela extrapolou para toda a sociedade em forma de intolerância, resultando numa ameaça real à democracia.

"Ondas" é como os estudiosos definem as diferentes fases do pentecostalismo brasileiro. A primeira onda é a do pentecostalismo clássico, influenciado pelos movimentos norte-americanos e suecos, base das Assembleias de Deus. A segunda é a do movimento de "cura divina" a partir do final da década de 1950, das cruzadas evangelísticas em ginásios de esporte e da ênfase nos rituais de cura física e de exorcismo, de igrejas como O Brasil para Cristo, Quadrangular e Deus é Amor.

A "terceira onda" é também conhecida como neopentecostalismo, porque ela reinventa diversas marcas do pentecostalismo clássico.[4] A glossolalia, que rachou denominações inteiras até a década de 1960, deixa de ser um cavalo-de-batalha. A ênfase em usos e costumes é relaxada. Embora a busca pelo extraordinário continue, o foco já não está nas curas milagrosas, mas na prosperidade material. A figura ameaçadora do diabo adquire uma nova grandeza no ensino da Batalha Espiritual. E o *poder* pregado por Charles Fox Parham é, agora, completamente ressignificado. Se na primeira onda ele estava associado ao vigor evangelístico, e se na segunda tinha mais a ver com o controle das realidades sobrenaturais para curar e expulsar demônios, no neopentecostalismo ele significa *governo* e *influência* em seu sentido mais terreno. É o "poder que tem de ser exercido", conforme ensinou Edir Macedo, fundador da Igreja Universal do Reino de Deus, a principal denominação neopentecostal do Brasil.[5]

O ensino da Batalha Espiritual é uma versão atualizada do maniqueísmo dos séculos 3 e 4 a.C., uma visão religiosa sincrética segundo a qual Deus e o diabo seriam forças autônomas e equivalentes brigando pelo mesmo espaço. É "a luta do bem contra o mal", como definiu o teólogo e sociólogo Ricardo Bitun. "De um lado, as forças das trevas comandadas pelo diabo e, do outro, os crentes com Deus resistindo heroicamente aos ataques do mal."[6] Essa visão se estabelece como um dos pontos principais do neopentecostalismo a partir da década de 1980, criando um ambiente propício para uma espécie de guerra santa. O diabo, que até então atuava ocupando o corpo de uma ou outra pessoa do auditório, agora está em todos os males que afligem a humanidade, como doenças, misérias e desastres. "Os espíritos destruidores estão nos germes, bactérias e vírus", ensina Edir Macedo. "São a principal causa de doenças. Os demônios são culpados pelo fato de o Brasil não ser um país desenvolvido."[7]

Sem dúvida, é uma mensagem bastante conveniente. A Batalha Espiritual acaba com as noções de responsabilidade social e pecado estrutural que exigem do cristão reflexão, preparo, empenho, generosidade e doação. Agora a culpa é dos demônios e o melhor que o crente tem a fazer é jejuar, orar, promover vigílias e congressos de louvor, a fim de "amarrar" os demônios, "em nome de Jesus"! E, nesse estado de guerra contra as hostes demoníacas, tudo é justificado: discriminação sexual, intolerância religiosa, promoção do ódio, contrainformação, espalhamento de *fake news*.

É dentro desse ambiente de guerra da Batalha Espiritual que surge uma corrente ainda mais perigosa: a chamada Teologia do Domínio, ou dominionismo. Com base em Gênesis 1.28 ("Sejam férteis e multipliquem-se. Encham e governem a terra. Dominem sobre os peixes do mar, sobre as aves do céu e sobre todos os animais que rastejam pelo chão"), os proponentes do dominionismo ensinam que Deus criou o homem para governar toda a criação, mas que o pecado humano "entregou" esse domínio ao diabo; agora, os crentes em Jesus Cristo têm a missão de reclamar o domínio sobre todas as coisas de volta.

O dominionismo caiu como uma luva entre os cristãos pós-milenaristas, aqueles que, *grosso modo*, defendem que Jesus voltará depois que a maioria da sociedade estiver cristianizada. "O evangelho será pregado a todas as nações", disse o norte-americano C. Peter Wagner, um dos teóricos pioneiros do movimento. "Acredito que o mundo ficará cada vez melhor... Eu creio que Deus nos enviou para restaurar as coisas, e quando já tivermos feito o bastante, Jesus vai voltar para um mundo muito fortalecido, refletindo o reino de Deus."[8] A fim de tornar real esse "mundo muito fortalecido", a Teologia do Domínio recorreu ao conceito das "Sete Montanhas de Influência", elaborado na década de 1970 pelos fundadores da Youth With a Mission [Jovens com uma missão], pelo qual os cristãos precisam atuar sobre sete áreas fundamentais da sociedade: família, religião, educação, governo, mídia, artes e entretenimento e economia. Assim, para "acelerar" a volta de Jesus Cristo e o estabelecimento de seu reino, os cristãos devem buscar o poder terreno, institucional, seguindo o mapa de ocupação das "sete montanhas". E, mais uma vez, na guerra vale tudo: conchavos políticos, aquisição de canais de rádio e televisão, extermínio dos cultos afro-brasileiros, intervenção na grade curricular das escolas públicas. Guerra é guerra.

Em 2013, Dilma Rousseff estava no último ano de seu primeiro mandato, e os atrasos nas obras para a Copa do Mundo começavam a gerar os questionamentos que explodiriam nas famosas "manifestações de junho". Era a época do bordão "Imagina na Copa!" e da luta por hospitais e escolas "Padrão Fifa". Em março daquele ano, a Igreja Batista da Lagoinha, de Belo Horizonte, recebeu em seu 14º Congresso de Louvor e Adoração uma das principais discípulas de C. Peter Wagner, a texana Cindy Jacobs. Autoproclamada "profetisa", Jacobs já afirmou, entre outras coisas, possuir dons espirituais capazes de prevenir ataques terroristas, curar ossos quebrados, deter golpes de Estado, capturar líderes mundiais, causar inundações e até ressuscitar crianças.[9] A Lagoinha, por sua vez, é uma igreja de raízes históricas que "pentecostalizou" na década de 1960 e se notabilizou no meio evangélico em virtude de seu ministério de música, o grupo Diante do Trono, liderado por Ana Paula Valadão, filha do pastor-presidente da igreja, Marcos Valadão. Foi Ana Paula que atuou como intérprete de Jacobs, diante de dez mil evangélicos no Congresso, com transmissão para muitos outros milhares nos canais eletrônicos da igreja. No auge dramático de sua fala, Cindy disse — ou melhor, afirmou que Deus estava dizendo por intermédio dela: "Estou dando ao Brasil uma segunda chance. Estou abrindo uma nova janela, onde vocês vão começar a orar. Se vocês não entrarem por essa janela, eu vou abalar a economia. Eu vou transformar o Brasil, mas vocês precisam transformá-lo através de seus joelhos primeiro. Comecem a clamar dia e noite. Eu edificarei a casa de oração para todas as nações a partir do Brasil. Começarei nos *campi* das universidades, nas escolas, nos prédios dos governos. É o meu desejo abater o principado da corrupção e o principado da miséria, porque eu virei e abalarei tudo o que pode ser abalado. E estou preparando uma geração pioneira. Que se levantem os 'joãos batistas'! Que se levantam os precursores que prepararão o caminho do Senhor para a igreja e a nação, e a transformação do Brasil! Aleluia!".[10]

O ano de 2016 trouxe o *impeachment* de Dilma, a morte de C. Peter Wagner e a eleição de Donald Trump como presidente norte-americano. Cindy Jacobs atuaria fortemente na campanha de Trump, cuja vitória, em suas palavras, havia sido um ato "sobrenatural", "um trunfo" [*trump*] nas mãos de Deus "para triunfar [*trump*] sobre o sistema".[11] Em 2020, ajudou a fundar a campanha Evangélicos por Trump, liderada pela conselheira espiritual oficial do presidente, a controversa pastora Paula White.[12] Alguns dias depois de Trump haver definido o coronavírus como "uma gripe" e afirmado que o número de casos nos Estados Unidos estava "caindo, e não aumentando",[13] Cindy pregou em uma igreja dizendo que os cristãos tinham "toda a autoridade" para declarar a COVID-19 "ilegal em nome de Jesus".[14] Um mês depois, os Estados Unidos se tornariam o país com maior número de óbitos por coronavírus no mundo.

A ascensão da direita religiosa à presidência dos Estados Unidos deu confiança a Cindy Jacobs para se manifestar a respeito da política internacional. Às vésperas das eleições brasileiras de 2018, ela deu uma entrevista a um portal evangélico brasileiro dizendo — ou melhor, afirmando que Deus dizia por intermédio dela, que, se o povo elegesse Bolsonaro, haveria "um *boom* econômico tão estarrecedor e tão rápido" que o país experimentaria "uma reversão deste tempo de trevas sobre a nação". Deus lhe teria dito também que o país vivia um momento de "transição", em que "o principado da corrupção" perderia seu poder até que o Brasil se tornasse "um país justo e livre de corrupção".[15]

Essa nova mistura entre dominionismo e a direita política já havia sido testada nas eleições norte-americanas de 2008, quando o republicano John McCain formou chapa com Sarah Palin, numa campanha que teve participação direta de C. Peter Wagner e uma série de encontros de oração e diversas insinuações do conceito de batalha entre a "luz" e as "trevas", o "bem" e o "mal" entre republicanos e democratas. Mas quem finalmente colheu os frutos dessa mistura foi Donald Trump, eleito com índices recordes entre os evangélicos do país.[16] No Brasil, com uma campanha abertamente inspirada na do empresário americano, foi Jair Bolsonaro.

A associação de Bolsonaro com os evangélicos se deu desde cedo, começando com o famoso *slogan* de sua campanha: "Brasil acima de tudo, Deus acima de todos". Eleito presidente, continuou usando o *slogan* e, de fato, a religião foi elemento fundamental em várias de suas decisões. Por exemplo, o educador Mozart Neves Ramos, diretor do Instituto Ayrton Senna, cotado para o Ministério da Educação, foi rechaçado por grupos evangélicos, cuja preferência era por alguém mais engajado com o movimento Escola Sem Partido. Outro ministério estratégico para tais grupos era o de Direitos Humanos, cujas políticas de governos anteriores eram vistas como favoráveis às minorias em detrimento do caráter cristão majoritário do povo brasileiro. Assumiu a pastora Damares Alves, que ao tomar posse discursou: "Acabou a doutrinação ideológica de crianças e adolescentes no Brasil", arrematando com a frase: "O Estado é laico, mas esta ministra é terrivelmente cristã".[17] Ao que parece, Bolsonaro gostou do termo. Em julho de 2019, durante um culto na Câmara promovido pela "Bancada Evangélica", o presidente prometeu que, das duas indicações de ministros que poderia fazer ao STF, uma delas seria para alguém "terrivelmente evangélico".[18]

Talvez a aventura político-religiosa mais arriscada do primeiro ano do governo Bolsonaro tenha sido a ideia de transferir a embaixada brasileira em Israel, de Tel Aviv para Jerusalém. Isso violaria uma resolução da ONU, seguida pela vasta maioria da comunidade internacional, que considera Tel Aviv a capital *de facto* de Israel. A Cidade Santa precisaria, segundo essa resolução, ser primeiro objeto de um tratado de paz entre israelenses e palestinos, que disputam seu território há milênios. Mas um grupo razoável de cristãos evangélicos, sobretudo os da ala conhecida como dispensacionalista, entende que o retorno dos judeus à Terra Santa é extremamente necessário para a volta de Cristo.[19] Disposto a correr sanções diplomáticas, Bolsonaro chegou a anunciar a transferência da embaixada. No entanto, depois de muita polêmica, o Brasil acabou apenas abrindo um escritório em Jerusalém.

Há um último aspecto importante nessa aproximação de Jair Bolsonaro com o público evangélico, mais pragmático que dogmático, mas que tem tudo a ver com poder e domínio: em 2017, dos cinquenta principais veículos de mídia do Brasil, nove pertenciam a ou estavam arrendados por lideranças religiosas.[20] Com tempo escasso de propaganda na televisão aberta, foi fundamental para sua estratégia que, além do uso agressivo das redes sociais, seu discurso se alinhasse ao vocabulário das igrejas brasileiras: Deus, família, aborto, Israel, luz contra trevas, doutrinação homossexual, ameaça comunista, mais um ou dois versículos decorados. Foi esse alinhamento que, por exemplo, ajudou o candidato a se aproximar das camadas C e D, historicamente fiéis ao lulopetismo.[21] Para muitos evangélicos, ali estava, se não exatamente um "dos nossos", um soldado aliado em nossa batalha espiritual contra as potestades demoníacas, um posto avançado que prometia escancarar as portas de Brasília para que os crentes dominassem sobre tantas colinas quanto lhes interessassem.

É importante dissociar o papel da Igreja Universal desse contexto. Como bem definiu o *Le Monde Diplomatique Brasil*, a Universal é muito mais "um complexo que envolve um império midiático"[22] do que uma igreja com uma televisão. O dono da Record, aliás, nem é a igreja, mas seu bispo primaz, Edir Macedo, que a adquiriu em 1989 em seu nome. O império de Macedo inclui rádios, um banco e até seu próprio partido político, o Republicanos. O apoio explícito de Edir Macedo à candidatura de Bolsonaro só veio no final de setembro de 2018, o que não chega a surpreender: ele já havia apoiado sistematicamente Temer, Dilma e Lula. Embora seja difícil encaixar a Universal em um único perfil evangélico, suas doutrinas básicas se alinham ao neopentecostalismo. Sua estratégia, no entanto, não tem meios-tons; é totalmente dominionista: "Desde os primórdios da humanidade o ser humano vem lutando por espaços, por domínio e estabelecimento de poder", escreveu Edir Macedo em seu livro *Plano de poder*. "Existem os agentes do mal, que são aqueles que fazem oposição acirrada em vários sentidos — inclusive, ou principalmente, na política — aos representantes do bem." Para participar dessa luta e vencê-la, o bispo diz: "Tudo é uma questão de engajamento, consenso e mobilização dos evangélicos. Nunca, em nenhum tempo na história do evangelho no Brasil, foi tão oportuno como agora chamá-los de forma incisiva a participar da política nacional. E, mais ainda, consolidar o grande projeto de nação pretendido por Deus".[23]

Com sua parceria com Bolsonaro, evangélicos chegaram aos gabinetes federais, a religião passou a qualificar ministros, embaixadas passaram a ser consideradas em função de doutrinas escatológicas e o nome de Deus passou a ser citado frequentemente em pronunciamentos oficiais. Que Deus poderia desejar algo diferente?

O Deus revelado em Jesus Cristo nunca procurou impor sua vontade dessa forma. Em primeiro lugar, e principalmente, porque a marca que Jesus espera ver em seus seguidores não é o poder, mas o amor. "Seu amor uns pelos outros provará ao mundo que são meus discípulos", disse ele (Jo 13.35). Quando o apóstolo Paulo nos ensina a "ter a mesma atitude demonstrada por Cristo Jesus", ele menciona um Deus que não apenas não se impôs à força como ainda abriu mão de seu poder e "esvaziou a si mesmo", para ficar na mesma estatura daqueles que pretendia alcançar (Fp 2.5-8). Jesus jamais sonhou com uma nação de cristãos exercendo poder sobre os não cristãos. Pelo contrário: "Entre vocês, porém, será diferente", ensinou. "Quem quiser ser o líder entre vocês, que seja servo" (Mt 20.26). Jesus é aquele que bate à porta, dizendo: "Se você ouvir minha voz e abrir a porta, entrarei e, juntos, faremos uma refeição, como amigos" (Ap 3.20). Jesus é aquele que espera até que alguém abra. Quem entra à força, dominando, baixando leis em meio a conchavos políticos, "por sobre a cerca, em vez de passar pela porta, é certamente ladrão e assaltante" (Jo 10.1).

Pregadores neopentecostais adoram fazer uso da estética tribal e triunfalista que enxergam no judaísmo bíblico. Os reis de Israel são frequentemente citados em pregações carregadas de simbologia, grandiosidade e misticismo, como alegorias de políticos de Brasília ou de Washington, na tentativa de juntar pontas entre religião e política. Curiosamente, é na própria Bíblia hebraica que se encontram os relatos mais claros sobre como a combinação dessas esferas pode ser desastrosa.

Os livros dos Reis cobrem um período de aproximadamente quinhentos anos da história de Israel, a partir da morte de Davi. A monarquia havia sido uma reivindicação do povo hebreu, como vimos no capítulo "O governo de Deus". "Mas isso nunca funcionou bem", escreveu Eugene Peterson. "Mesmo os mais destacados, como Davi, Ezequias e Josias, não foram tão espetaculares. Os seres humanos, por mais bem-intencionados e talentosos, parecem não conseguir, nem de longe, representar o governo de Deus. Considerados por essa perspectiva, os livros dos Reis contêm uma exposição constante de fracassos."[24]

Quem ler os dois livros deparará constantemente com uma expressão usada para descrever a grande maioria desses reinados: "o pecado de Jeroboão". Entra rei sai rei, sempre havia alguém fazendo o que era "mau aos olhos de Deus" e cometendo "o mesmo pecado de Jeroboão". Mas que pecado é esse?

Após o reinado de Salomão, a nação de Israel se dividiu em duas: o reino do norte, Israel, e o reino do sul, Judá. Jeroboão foi o primeiro governante do reino do norte. Em 1Reis 12.25-33, o texto bíblico narra o receio de Jeroboão de que seus súditos pudessem preferir o rei do sul, Roboão, quando fossem a Jerusalém para oferecer sacrifícios no templo, e acabassem se revoltando contra ele. Assim, Jeroboão coloca dois bezerros de ouro nas fronteiras do reino, estabelece novos locais de culto e novas datas sagradas e, na realidade, todo um novo sistema religioso para quem morasse em Israel. Agora "é o Estado quem coloca seu selo sobre a verdade da revelação e as condições em que o povo ouvirá e cultuará", escreveu sobre Jeroboão o filósofo Jacques Ellul. "Mas quando o Estado faz isso, é por motivos políticos."[25]

Rei após rei, década após década, século após século, eis o pecado dos governantes. "É exatamente o que também nós faríamos", diz Ellul. "Todo Estado moderno pensa que deveria semelhantemente estabelecer uma religião completa, que servirá para unir o povo e torná-lo leal ao poder político, incluindo a igreja, de modo que seja nacional e cumpra esse mesmo papel."[26] Ou seja, não é simplesmente se arriscar numa mistura entre religião e política; é, pior que isso, usar a religião, o nome de Deus e a fidelidade religiosa do povo num projeto de poder político e na manipulação de pessoas.

Jeroboão sabia que a religião é um sistema cheio de brechas nos quais os oportunistas podem se acomodar confortavelmente para seu próprio benefício. É ingenuidade acreditar que os políticos de hoje não fariam exatamente o que todos os reis de Israel fizeram. E é uma heresia pensar que Deus se orgulharia disso agora.

Na mensagem de Jesus, não há espaço para esse tipo de manipulação — nem da parte dos políticos, nem dos religiosos. Você nunca verá um político mal-intencionado cumprindo o "há bênção maior em dar que em receber" de Atos 20.35, nem algum empresário tomando um jatinho até Brasília para convencer nas sombras algum deputado a pensar nos órfãos e nas viúvas. Essa gente luta por cargos, ministérios, canais de televisão, por poder, domínio e política, e não para sinalizar o reino de Deus no dia a dia.

Gosto muito daquela velha frase: "A resposta à má religião não é a não religião, mas a boa religião". Uma boa religião é a que nos disciplina para que nos aproximemos do evangelho completo de Jesus. A má religião é aquela repleta de jargões, de ritos, de microdivisões teológicas, e da presunção que nos conduz à intolerância e à sede do poder mais humano e carnal. É assustador notar como os maus políticos se sentem à vontade sentados à mesa, negociando, com os sacerdotes da má religião. Mas é maravilhoso, e nos enche de esperança e alívio, notar que o Deus e Pai de Jesus Cristo está sempre um passo adiante dessa gente má.

13
Corrupção

....

Não entendo a mim mesmo, pois quero fazer o que é certo, mas não o faço. Em vez disso, faço aquilo que odeio. Mas, se eu sei que o que faço é errado, isso mostra que concordo que a lei é boa. Portanto, não sou eu quem faz o que é errado, mas o pecado que habita em mim.

Romanos 7.15-17

....

"Eu reconheço que você hoje expressa o sentimento de milhões de brasileiros", diz um sorridente Aécio Neves, enquanto caminha até a borda do tablado redondo, naquele que é o último debate entre candidatos do segundo turno para as eleições presidenciais de 2014. A votação começa dali a pouco mais de trinta horas e, além das perguntas que um candidato fazia ao outro, havia no roteiro espaço para participação de um grupo de eleitores que se definia como "indeciso". A assistente de compras Adriana, da cidade de Vespasiano, Minas Gerais, foi sorteada e perguntou aos candidatos a respeito do combate à corrupção. Aécio continuou sua fala se dirigindo à sua "querida conterrânea":

"Os brasileiros não aguentam mais abrir todos os dias os seus jornais e ver qual é o caso novo de corrupção. Quando não há punição, a indignação é ainda maior. É o que nós estamos assistindo no Brasil de hoje. Eu vejo a candidata Dilma apresentar aqui um conjunto de propostas. Muitas delas estavam em tramitação no Congresso Nacional durante todos estes últimos anos. Não houve qualquer ação do PT para que algumas dessas propostas pudessem avançar. Por quê? Porque não houve preocupação do PT com o combate efetivo à corrupção. Essa é a grande realidade. Eu vou dizer aqui, olhando nos seus olhos: existe uma medida que está acima de todas as outras, que não depende do Congresso Nacional, para acabarmos com a corrupção no Brasil: vamos tirar o PT do governo".[1]

Se a gíria já fosse popular à época, alguém diria que Aécio "lacrou". Irrompeu um pequeno tumulto entre os assessores no auditório, exigindo intervenção de William Bonner por silêncio e desconcertando Dilma em sua tréplica. Aécio estava se referindo às notícias diárias sobre a Operação Lava Jato, iniciada havia sete meses. A partir de uma investigação de um grupo de doleiros, a Polícia Federal desarticulou uma bilionária rede de propinas e contratos superfaturados na Petrobrás que funcionava havia pelo menos dez anos. Centralizadas no escritório do juiz paranaense Sergio Moro, considerado uma das maiores autoridades em lavagem de dinheiro do Brasil, as investigações já haviam chegado ao nome de 21 executivos e megaempreiteiros. À época, alguns deles já estavam presos, enquanto outros negociavam acordos de delação premiada que levariam a polícia aos altos escalões do governo. As notícias eram, de fato, diárias, escandalosas, eletrizantes. Mas Aécio se referia também ao Mensalão, um esquema denunciado ainda no primeiro mandato de Lula, no qual parlamentares recebiam uma "mesada" de algumas dezenas de milhares de reais para votarem de acordo com o governo. Em 2012, o STF iniciou o julgamento de 38 nomes ligados ao PT, ao PP, ao PR e ao PTB, e ministros importantes do governo, como José Dirceu, da Casa Civil, e também o ex-presidente do PT, José Genoíno, foram afastados e condenados. A imagem de ministros, publicitários e empreiteiros algemados e as histórias de milionários dividindo celas e lavando as próprias roupas em Curitiba espalhavam pelo Brasil um inédito gosto de justiça, de fim da impunidade. Dia a dia, o cerco se fechava em torno dos petistas, e as últimas pesquisas apontavam um empate técnico entre Aécio e Dilma. No debate, não havia nervo mais exposto a ser tocado pelo candidato do PSDB do que a corrupção.

Só havia um problema na fala de Aécio: era mentira.

Em 2017, uma nova fase da Operação Lava Jato chegaria à empresa de alimentos JBS, proprietária de marcas como Friboi, Swift e Seara, entre outras. A JBS era, historicamente, uma das maiores doadoras de campanhas políticas brasileiras, para vários partidos, e agora aparecia como peça fundamental em diversos esquemas de corrupção. Joesley Batista, dono da JBS, fechou um acordo de delação premiada. Ele colaboraria com as investigações em troca de atenuações na pena. Durante seus depoimentos, revelou ter pagado R$ 2 milhões de propina a Aécio Neves e divulgou gravações de conversas em que o senador reclamava dos vazamentos de depoimentos para a imprensa ("uma ilegalidade"), tramava estratégias para anistiar a prática de caixa dois nas campanhas eleitorais ("não dá para ser mais na surdina") e praguejava contra as Dez Medidas Contra a Corrupção" ("aquela m****"),[2] um grande movimento iniciado pelo Ministério Público Federal exigindo a aprovação de um projeto de lei visando o combate à corrupção e à impunidade no Brasil. (Um dos maiores divulgadores das Dez Medidas, aliás, foi o procurador curitibano Deltan Dellagnol. Evangélico de tradição batista, Dallagnol obteve bom trânsito entre centenas de igrejas que o ajudaram a atingir a marca de 2 milhões de assinaturas de apoio ao movimento.) Quando finalmente o projeto chegou ao Congresso, o Brasil descobriu que o mesmo Aécio Neves que durante os debates se apresentava como um homem indignado com a corrupção, era contra as medidas para combatê-la. A Justiça Federal de São Paulo aceitou denúncia pelo STF e tornou Aécio réu por corrupção passiva e tentativa de obstrução judicial na Operação Lava Jato.[3]

No final de 2015, o Instituto Datafolha divulgou uma pesquisa mostrando que, para 34% dos brasileiros, a corrupção era o maior problema do país, com o dobro de respostas do segundo colocado, a saúde (16%).[4] Com o governo Dilma atingindo desaprovação de 69%[5] e as delações premiadas atingindo nomes de diversos partidos, incluindo os que se vendiam como alternativas ao PT, formava-se uma grande repulsa popular à "velha política" e começava a busca por *outsiders*. Mas esse nem era o principal problema da fala de Aécio Neves.

A grande mentira é que, por si só, tirar o PT do governo jamais resultaria no fim da corrupção — e Aécio sabia disso. Na verdade, mesmo que tirássemos do governo o PT, o PSDB, o MDB e todos os partidos envolvidos no Mensalão e na Lava Jato, e mesmo que enxotássemos a "velha política" para sempre e trocássemos (como trocamos) metade do Congresso nacional nas eleições seguintes,[6] ainda assim haveria corrupção. E por quê? Porque a corrupção está no sistema, mas está principalmente no coração humano.

Corromper é adulterar, desvirtuar, alterar as propriedades de algo. Corrupção é usar de meios ilegais para obter vantagens. Em Gênesis 3, quando a serpente seduziu o primeiro casal no jardim do Éden, ela estabeleceu ali toda a liturgia da corrupção. Primeiro, quis falar sobre possíveis brechas na lei: "Deus realmente disse que vocês não devem comer do fruto de nenhuma das árvores do jardim?". Em seguida, iniciou a negociação típica entre corruptores e corrompidos: "Deus sabe que, no momento em que comerem do fruto [da árvore que está no meio do jardim], seus olhos se abrirão e, como Deus, conhecerão o bem e o mal". Eis o arquétipo da corrupção no coração humano: as leis estabelecem o pacto que viabiliza o relacionamento entre as pessoas; há escolhas, há renuncias, há deveres, direitos e consequências; há atenuantes ("É claro que vocês não morrerão!"), e há a sedução da vantagem ilegal ("conhecer o bem e o mal como Deus"). Por fim, o ser humano "desejou a sabedoria que [o fruto] lhe traria" e se corrompeu por sua ambição (Gn 3.1-6).

Desde a infância, aprendemos a ler esse relato como se dissesse respeito apenas ao Sr. Adão e à Sra. Eva. Mas a história está falando também de cada um de nós.

O ensino dos apóstolos mostra explicitamente o pecado como algo entranhado no ser humano. É por isso que João, por exemplo, diz: "Se afirmamos que não temos pecados, enganamos a nós mesmos e não vivemos na verdade" (1Jo 1.8). Escrevendo aos cristãos de Roma, o apóstolo Paulo faz uma das confissões mais pungentes do Novo Testamento: "Não entendo a mim mesmo, pois quero fazer o que é certo, mas não o faço. Em vez disso, faço aquilo que odeio" (Rm 7.15-16). Paulo não está falando aqui de bandidos atrozes ou de pessoas com valores deturpados. Está falando daqueles que *sabem* o que é o certo, mas ainda assim fraquejam diante da tentação. Está falando dele, de mim, de você. É da nossa natureza esgueirar-se atrás daquilo que nos traga benefícios, seja nas brechas da lei ou fora da lei. A teologia chama isso de "natureza caída" ou, não por acaso, "natureza corrompida". É como se cada um de nós fosse um carro desalinhado, defeituoso, que precisa de vigilância constante para não deixar a pista.

Quando saímos da esfera pessoal, íntima, e passamos a falar da esfera pública, há duas forças que regulam e controlam o impulso corrupto do ser humano e permite a convivência na sociedade. A primeira força são as leis. E nesse sentido, embora lentamente e contrariando muitos interesses, o Brasil evoluiu. Foi a Constituição de 1988, por exemplo, que deu à Polícia Federal, quase meio século depois de sua criação, as atribuições de polícia judiciária, capaz de instaurar inquéritos e cumprir mandatos de busca e apreensão. E foi só em 2003 que um Plano Especial de Cargos conferiu autonomia aos delegados federais, não à toa o mesmo ano em que a célebre Operação Anaconda condenou e prendeu diversos juízes e advogados envolvidos em um esquema de venda de sentenças. Foi apenas dali dez anos que a Lei 12.850 previu a delação premiada em investigação de organizações criminosas. Sem essa lei, simplesmente não existiria Lava Jato. E foi só em 2015 que as doações de empresas para campanhas eleitorais foram proibidas. "Não existe doação de campanha", disse o ex-diretor da Petrobrás, Paulo Roberto da Costa, em depoimento à Polícia Federal. "São empréstimos a serem cobrados posteriormente, com juros altos, dos beneficiários das contribuições quando no exercício do cargo."[7]

A segunda força contra a corrupção chama-se democracia. Na polarização política dos anos 2010, ganhou força no Brasil uma ideia destrutiva, que opõe a democracia ao combate à corrupção. É um truque antigo, aplicado diversas vezes na América Latina: para "acabar com a corrupção" é necessário a instalação de um regime autoritário. Essa é uma afirmação falsa em diversos sentidos. O principal deles é que é justamente a democracia que viabiliza o combate à corrupção. É apenas em regimes democráticos que políticos corruptos — deputados, senadores, presidentes — podem ser denunciados, julgados e punidos. Só na democracia acontece de "superministros" do partido da situação, como José Dirceu ou Antonio Palocci, serem presos e presidentes irem para a cadeia.

No início da campanha presidencial de 2018, o cientista político norte-americano Steven Levitsky veio ao Brasil para divulgar seu livro *Como as democracias morrem*.[8] Em sua palestra em São Paulo, Levitsky disse que trocar "a defesa das instituições democráticas" por "objetivos políticos de curto prazo" era um "risco" que não valia a pena correr: "O processo de manipular as instituições é uma coisa lenta, por isso os cidadãos não sabem que estão perdendo sua democracia até ser tarde demais".[9] Numa democracia, as instituições têm independência entre si, a imprensa é forte e livre, e a corrupção pode ser denunciada. Num regime autoritário, em contrapartida, as instituições são centralizadas, as leis privilegiam castas, os adversários políticos são "inimigos pessoais", a Polícia Federal age a serviço do governo, o trabalho da imprensa é satanizado e, consequentemente, a corrupção pode florescer sem que ninguém se dê conta dela.

Nós, brasileiros, temos um grande exemplo da falta que a democracia e as leis fazem no combate à corrupção. Entre 1964 e 1985, o Brasil viveu sob um regime militar. O Congresso foi fechado três vezes, 173 deputados da oposição tiveram seus mandatos cassados, a Polícia Federal e o Ministério Público eram utilizados para reprimir "inimigos" do governo, e a imprensa trabalhava sob censura. Procure nos arquivos *on-line*: o assunto "corrupção" não era sequer mencionado — no máximo, falava-se sem muitos detalhes do combate à "burocracia" e do socorro recorrente e misterioso aos bancos. Entretanto, o discurso preparado para a posse de Tancredo Neves, o primeiro presidente civil, já trazia estas palavras: "Os que burlarem a confiança popular em meu governo podem estar certos de que tudo faremos para que restituam, centavo a centavo, o que tenham desviado, como atuará o Ministério Público no sentido de que paguem seu crime na cadeia. Não podemos continuar vivendo em um país em que qualquer trabalhador pode ter sua geladeira arrestada por faltar a um compromisso de pequena monta, enquanto milhões de dólares são criminosamente depositados em bancos estrangeiros".[10] O país a que ele se referia era o Brasil deixado pelos militares.

Tancredo morreu sem ler seu discurso, mas já no primeiro ano do governo de seu vice, José Sarney, as notícias começaram a vir à tona. O Instituto Brasileiro do Café (IBC) e o Instituto do Açúcar e do Álcool (IAA) foram investigados por três auditorias independentes, que relataram órgãos "integralmente contaminados pela inépcia, empreguismo, inoperância e corrupção".[11] Em cinco anos, tanto o IBC quanto o IAA estariam fechados. Com a Constituição de 1988, o fim da censura e diversas iniciativas de abertura dos arquivos da ditadura, mais escândalos do regime militar se tornaram públicos: envolvimento com o contrabando, associação com o tráfico de drogas, casos de extorsão de empresários, empréstimos irregulares, acréscimos ao código penal para manter apoiadores criminosos em liberdade, mordomias diversas para generais e ministros, subornos, desvios por meio de bancos públicos, e muitos outros que talvez nunca sejam esclarecidos.[12] Foi só nos anos 2010 que empresas que prosperaram durante os governos militares, como a Andrade Gutierrez e a Odebrecht, foram investigadas, punidas e obrigadas a restituir parte do que lesaram dos cofres públicos. Veja o que um informe interno do Centro de Informações do Exército dizia, em 1975, a respeito da possibilidade de divulgar as "faltas por corrupção atribuídas até a governadores escolhidos pelos presidentes no regime revolucionário": "Suportaria o povo o descrédito que isso lançaria ao próprio movimento de 64? Não seria essa mais uma arma bem eficiente que nós mesmos daríamos ao marxismo internacional contra o Brasil?".[13] Ou seja, para evitar a famigerada "ameaça comunista", para evitar o "descrédito" que "o povo" talvez não suportasse, mentia-se. Omitia-se. Criava-se a ilusão de que não havia corrupção, a narrativa de que existe no mundo algum regime ou sistema ou pessoa que, de tão incorruptíveis e iluminadas, dispensam as leis e a democracia. Muita gente acreditou. Muita gente acredita, ou diz acreditar, até hoje.

Uma dessas pessoas é Jair Bolsonaro. Durante sua campanha para presidente, ele disse que "é infinitamente menor a incidência de corrupção no nosso meio [militar] do que no meio político que está aí", e que um dos maiores problemas em relação às empresas estatais criadas durante o regime militar foi que, uma vez entregue aos civis, elas teriam se tornado, só depois, "foco de corrupção".[14]

A figura de Bolsonaro como presidenciável cresceu ao mesmo tempo que os escândalos ligados aos governos petistas ganhavam espaço na mídia. Por anos, Bolsonaro repetiu a história de que o ministro Joaquim Barbosa, quando ainda relator do Mensalão no STF, disse que ele havia sido "o único deputado da base aliada que não foi comprado pelo PT", como se isso fosse um "reconhecimento público e idôneo do ministro" por sua "honestidade".[15] Na verdade, Barbosa falava sobre como a compra de votos travava pautas importantes da Câmara. E, como exemplo, disse que todos os parlamentares votavam de acordo com a orientação dos partidos subornados — menos Bolsonaro. O candidato usou tantas vezes o nome de Barbosa em sua campanha que o ex-ministro acabou abrindo seu voto no PT: "Pela primeira vez em 32 anos de exercício do direito de voto, um candidato me inspira medo, por isso meu voto é em Fernando Haddad".[16]

Nas eleições de 2018, Bolsonaro não era o único candidato sem processos por corrupção. Mas, entre os principais nomes, era o único que nunca havia sido governador, senador, prefeito ou ministro — cargos mais expostos e mais cortejados por empreiteiros e donos do poder. Pelo contrário, desde o momento em que se elegeu deputado federal, em 1991, Bolsonaro se empenhou em manter-se na penumbra parlamentar conhecida como "baixo clero".

A expressão surgiu no final dos anos 1980, durante a Assembleia Constituinte. Os políticos que se articulavam melhor, que dialogavam com outros partidos e eram mais procurados para entrevistas foram apelidados de "alto clero". O "baixo clero", por sua vez, eram aqueles que pouco interferiam, que discursavam o mínimo necessário para agradar suas bases eleitorais, que barganhavam o voto sem grandes questões filosóficas. O termo se popularizou em 2005, quando esses parlamentares de menor expressão se rebelaram contra o governo petista e conseguiram eleger Severino Cavalcanti como presidente da Câmara. "Eles costumam negociar o sim ou o não e obrigam o governo a agir votação por votação", definiu o *Estadão* à época.[17]

Como deputado do "baixo clero" ao longo de boa parte de sua vida profissional, Bolsonaro ficou fora do radar do

Ministério Público, das CPIs e até mesmo da imprensa investigativa. Assim como Dilma antes dele, elegeu-se menos pelo que havia feito na vida pública e mais por ninguém saber exatamente quem ele era. Numa campanha eleitoral caótica em que o líder das pesquisas estava preso, o segundo colocado foi esfaqueado e os debates do segundo turno acabaram cancelados, acusações mais graves dividiam espaço na cabeça do eleitor com *memes* e *fake news* e nunca ganhavam força. Uma das acusações que sumiram no vento dizia respeito a uma doação de R$ 200 mil que Bolsonaro recebeu da JBS para financiar sua campanha a deputado federal em 2014. Em vez de devolver o dinheiro ao doador, Bolsonaro repassou o valor ao partido (à época o PP), que ficou com a soma e devolveu R$ 200 mil para ele com o "carimbo" limpo, de verba do fundo eleitoral. Questionado se isso não seria uma forma de lavar o dinheiro dentro de seu próprio partido, o então candidato respondeu: "Você queria que eu fizesse o que naquela época? O partido recebeu propina, sim, mas qual partido não recebe?".[18] Outro caso que evanesceu durante a campanha tratava do dinheiro de auxílio-moradia que Bolsonaro usava mesmo tendo residência em Brasília. Questionado sobre isso por uma repórter da *Folha*, respondeu: "Como eu estava solteiro naquela época, esse dinheiro de auxílio-moradia eu usava para comer gente".[19] E, a respeito de funcionárias de seus gabinetes que recebiam salário sem ter crachás nem aparecer na Câmara, o discurso era sempre o mesmo: a imprensa estaria "inventando um monte de história" a fim de derrubá-lo.[20]

Quatro dias depois de confirmada sua vitória no segundo turno das eleições presidenciais, Bolsonaro fez o que os analistas definiram como sua jogada política mais inteligente: anunciou o juiz Sergio Moro como seu Ministro da Justiça e Segurança Pública. Com Moro em sua equipe, Bolsonaro somava para o seu capital político o ativo moral dos seis anos da Operação Lava Jato, representado na figura de um juiz que era venerado nas manifestações populares em trajes de super-herói. Para a reputação de Moro, entretanto, o passo era arriscadíssimo: seu novo chefe seria o homem que cresceu nas pesquisas justamente depois que o até então candidato Lula foi preso — condenado por uma decisão do próprio Moro. Para piorar, o vice-presidente de Bolsonaro, Hamilton Mourão, revelou que o juiz havia sido "sondado" para o cargo ainda durante a campanha.[21] Tudo isso suscitaria dúvidas a respeito de suas possíveis motivações políticas durante o julgamento.

Embora Bolsonaro tivesse sido eleito prometendo apoio às Dez Medidas Contra a Corrupção e Moro aceitado o cargo anunciando "implementar uma forte agenda anticorrupção e anticrime organizado",[22] o relacionamento entre os dois no primeiro ano de governo foi tumultuado. Sem contar com grande apoio do presidente, o pacote anticrime proposto por Moro acabou descaracterizado pelo Congresso. Moro ficou virtualmente de fora do decreto presidencial que facilita o porte de armas ("elaborado principalmente no Palácio do Planalto", segundo o próprio Moro[23]). Bolsonaro tirou da alçada de Moro o Conselho de Controle de Atividades Financeiras (COAF), justamente o órgão que identificou "movimentações financeiras atípicas" nas contas do então deputado estadual Flávio Bolsonaro, seu filho, levantando a suspeita de um esquema de "rachadinhas" entre ele e seus assessores na Assembleia Legislativa do Rio de Janeiro.[24] Além disso, ameaçou substituir a superintendência da Polícia Federal no Rio de Janeiro, que investigava supostas ligações da família Bolsonaro com milícias da cidade, tudo isso à revelia de Moro. As interferências do presidente não apenas colocavam em dúvida a "carta branca" que ele havia prometido a Moro em novembro de 2019, mas também todo o seu discurso anticorrupção. A gota d'água se deu quando Bolsonaro avisou o ministro de que usaria a prerrogativa da lei para trocar o diretor-geral da PF, Maurício Valeixo. Dezessete meses depois de assumir o cargo, Sergio Moro anunciou que estava se demitindo.

O pronunciamento de Moro caiu como uma bomba. Justificou sua decisão afirmando que vinha ocorrendo "interferência política na Polícia Federal" por parte de Bolsonaro, e que essa interferência poderia levar a "relações impróprias entre o [futuro] diretor-geral" e o presidente da República. Moro chegou a afirmar que o governo Dilma "tinha inúmeros defeitos, aqueles crimes gigantescos de corrupção", mas que sempre manteve "a autonomia da PF para que fosse possível realizar esses trabalhos", o que seria "até um ilustrativo da importância de garantir o Estado de Direito, a autonomia das instituições de controle e investigação". Segundo Moro, no entanto, Bolsonaro afirmou que queria alguém "do contato pessoal dele", com quem "pudesse colher informações". "Falei ao presidente que seria uma interferência política. Ele disse que seria mesmo."[25]

Para substituir Sergio Moro, Bolsonaro convidou mais um evangélico, o servidor de carreira André Mendonça, que à época ocupava o cargo de Advogado-Geral da União. E, embora negasse a intenção de interferir na Polícia Federal, indicou para a vaga de diretor-geral alguém com o perfil já previsto por Moro: Alexandre Ramagem, um ex-coordenador de segurança de sua campanha e amigo pessoal de seus filhos. Ao ser questionado nas redes sociais por uma seguidora se a escolha não seria suspeita, Bolsonaro respondeu: "E daí? Devo escolher alguém amigo de quem?".[26] A seguidora se referia não apenas às investigações em curso no Rio a respeito das "rachadinhas" e da ligação com milícias de Flávio, mas também a notícias de que a PF havia encontrado indícios de que os outros filhos do presidente, Carlos, vereador pelo Rio de Janeiro, e Eduardo, deputado federal por São Paulo, estariam envolvidos em um esquema de *fake news* e intimidação criminosa de adversários políticos do pai pela internet.[27] A indicação de Ramagem foi considerada pelo ministro do STF Alexandre de Moraes um "desvio de finalidade" porque não observaria "os princípios constitucionais da impessoalidade, da moralidade e do interesse público".[28]

Dito tudo isso, não é de se espantar que, no Índice de Percepção de Corrupção da Transparência Internacional, o Brasil tenha terminado 2019 na 106ª posição, empatado com a Albânia e o Egito.[29] O *ranking* leva em conta diversos indicadores, como relatórios do Banco Mundial e dados do Fórum Econômico Mundial, entre outros. Curiosamente, a última vez que a pontuação do Brasil melhorou no *ranking* foi em 2014 — exatamente o ano em que Aécio Neves dizia que os brasileiros não aguentavam mais "abrir os jornais todos os dias e ver qual é o caso novo de corrupção". Desde então, o Brasil vem piorando ano a ano. Isso revela algo óbvio, mas do qual nos esquecemos com muita facilidade: um país mais ético não é aquele que tem menos notícias de corrupção, e sim aquele em que os corruptos são investigados, julgados e punidos por seus crimes. Países sem "casos novos de corrupção" são, geralmente, países sob governos autoritários.

Em *Como as democracias morrem*, Steven Levitsky apresenta uma espécie de "gabarito" para que seus leitores possam identificar um político com tendências autoritárias. Tal político apresenta sempre uma ou mais de quatro características: ele rejeita, em palavras ou atitudes, regras fundamentais da democracia; ele coloca em dúvida a legitimidade de seus oponentes, tratando-os como inimigos pessoais ou "inimigos da pátria"; ele tolera ou incentiva o uso de violência política; ele admite ou propõe restringir liberdades civis. Quando esteve no Brasil em agosto de 2018, Levitsky avaliou que, dos cinco principais candidatos à presidência no Brasil, quatro não traziam nenhuma das marcas de um líder autoritário, e somente *um* reunia todas as características. Justamente o candidato eleito.[30]

A Bíblia é implacável com corruptos: "A extorsão transforma o sábio em tolo, e os subornos corrompem o coração" (Ec 7.7); "O uso de balanças desonestas é detestável para o SENHOR, mas ele se alegra com pesos exatos" (Pv 11.1). Deus sabe que nosso coração ambiciona o que os olhos alcançam e deseja tudo o que conseguir carregar. Se tivermos uma balança, nosso coração desejará uma balança desonesta. Se viajarmos a trabalho, nosso coração será tentado a adulterar as notas fiscais na prestação de contas. Se usarmos o carro da firma, quereremos usá-lo para o lazer particular. Se tivermos assessores, faremos "rachadinhas". Se tivermos partido, lavaremos dinheiro de empreiteiras. Se tivermos empresas estatais, promoveremos corrupção com financiadores de campanha. Se privatizarmos, privataria. Tudo isso é igualmente "detestável para o SENHOR", em todos os níveis.

Por outro lado, a sabedoria bíblica também diz:

Os que são justos e íntegros,
    que não lucram por meios desonestos,
que se mantêm afastados de subornos,
    que não dão ouvidos aos que tramam assassinatos,

> que fecham os olhos para toda tentação de fazer o mal,
> esses habitarão nas alturas;
> > as rochas dos montes serão sua fortaleza.
>
> Terão provisão de alimento
> > e não lhes faltará água.

Isaías 33.15-16

Que promessa linda e aliviadora num mundo em que a corrupção está por toda parte.

Jesus faz uma distinção muito interessante entre o pecador e aquele que induz ao pecado. Ele diz: "Sempre haverá o que leve as pessoas a cair em pecado, mas que aflição espera quem causa a tentação!" (Lc 17.1). Talvez seja a forma mais madura de encarar nossa luta diária. Sempre haverá corrupção em nosso coração, e nunca estaremos livres da tentação nas diferentes áreas da nossa vida. Admitir isso parece um ótimo começo. O passo seguinte é ter a mesma intolerância de Jesus contra tudo o que nos faça cair: leis lenientes, justiça lenta, impunidade, falta de transparência, concentração de poder, burocracia. Sem soluções mágicas, sem super-heróis e sem vilões maquiavélicos. A corrupção é um inimigo real e diário, que precisa ser vencido com armas reais e diárias.

14
Profecia e propaganda

....

> Então Natã disse a Davi: "Você é esse homem! Assim diz o SENHOR, o Deus de Israel: 'Eu o ungi rei de Israel e o livrei das mãos de Saul. Dei-lhe a casa e as mulheres de seu senhor e os reinos de Israel e Judá. E, se isso não bastasse, teria lhe dado muito mais. Por que, então, você desprezou a palavra do SENHOR e fez algo tão horrível?'".
>
> 2SAMUEL 12.7-9

....

As polêmicas referentes à posse do novo ministro da Justiça e Segurança Pública, André Mendonça, já vinham se acumulando desde a conturbada saída de seu antecessor, Sergio Moro. As controvérsias chegaram até o próprio dia da cerimônia, uma vez que, além do novo ministro, seria empossado também o novo diretor-geral da Política Federal — isso se o STF não tivesse suspendido a nomeação do primeiro indicado, Alexandre Ramagem; Jair Bolsonaro indignou-se ("Quem manda sou eu!"[1]), mas acabou escolhendo outro nome, dias depois. André Mendonça, que além de advogado é pastor presbiteriano, tomou posse sozinho e, ao usar o microfone pela primeira vez como ministro, olhando para o presidente, afirmou: "Vossa excelência tem sido por trinta anos um profeta no combate à criminalidade. E hoje este ministro assume o compromisso de lutar pelos ideais de uma vida que o senhor tem combatido".[2]

Mendonça pode muito bem ter usado a palavra "profeta" em seu sentido mais literal, para referir-se a alguém que proclama algo em defesa ou em nome de algum tema específico. Neste caso, teríamos apenas um problema com os fatos: qualquer pesquisa no serviço de Dados Abertos[3] ou nos arquivos da Câmara dos Deputados mostra que, especialmente em seus primeiros dez ou quinze anos como parlamentar, Bolsonaro pouco se ocupou de assuntos relacionados a políticas de segurança pública ou de combate à criminalidade. Seus discursos e seus projetos eram sempre relativos aos interesses do universo dos militares, como, por exemplo, o direito de aplaudir a execução do Hino Nacional durante hasteamento da bandeira ou a anistia a militares que ocupassem imóveis de forma irregular. Seus dois únicos projetos aprovados enquanto deputado também nada tinham a ver com segurança pública: um isentava produtos de informática do recolhimento do Imposto sobre Produto Industrializado e outro autorizava o uso da fosfoetanolamina em pacientes terminais de câncer.[4]

Mas pode ser que, ao chamar o presidente de "profeta" em seu discurso, André Mendonça tenha feito algo muito mais perigoso e contribuído voluntariamente para a construção da aura religiosa de Jair Bolsonaro. Nesse caso em especial, diferentemente dos "conselheiros espirituais" neopentecostais do presidente, trata-se da contribuição de um evangélico de tradição reformada histórica, com formação em Teologia e integrante da equipe pastoral da Igreja Presbiteriana Esperança, de Brasília. Alguém que sabe perfeitamente o que foram os profetas da Bíblia e quão impróprio seria usar o termo em referência a Jair Bolsonaro.

O profetismo foi um fenômeno que atravessou toda a história da nação de Israel. Profetas eram pessoas que irrompiam no meio do povo afirmando ter uma palavra de revelação do próprio Deus, credenciados por seu relacionamento profundo com ele, e não por sua posição dentro da elite da época. Pelo contrário: conforme define o teólogo anglicano John Barton, os profetas eram "figuras marginais, as quais não se consegue silenciar".[5] Na cultura israelita, em muitos aspectos o profeta representava aquilo que, nas democracias modernas, chamaríamos de "freio e contrapeso": nenhum monarca flertaria com o poder absoluto enquanto houvesse um profeta por perto.

Com frequência, no Antigo Testamento a palavra de Deus por intermédio do profeta confronta as autoridades dominantes — não à toa, a Bíblia relata que muitos profetas foram assassinados (Ne 9.26; Lc 11.47-50). "O destino pessoal dos profetas talvez não tenha sido diferente da experiência característica dos poetas que foram silenciados por regimes totalitários", diz Walter Brueggemann, talvez o principal especialista em profetismo bíblico no mundo hoje. "Nenhum regime totalitário consegue tolerar a palavra contrária, produtiva e subversiva do poeta."[6] Por tudo isso, parece pouco apropriado chamar de "profeta" homens poderosos que querem silenciar a oposição e que inflamam o povo contra adversários. Melhor seria considerá-los representantes carnais dos poderes terrenos — como os faraós ou reis da antiguidade ou como os que Jesus definiu como "descendentes dos que assassinaram profetas" (Mt 23.31).

É impressionante como a realidade da Israel antiga guarda lições urgentes para o Brasil do século 21: um governante não pode tudo; o "quem manda sou eu" é diabólico; as autoridades devem estar submissas ao mandato que o Deus criador confiou a elas; não há homem incorruptível diante do poder temporal; e, portanto, as vozes de oposição precisam ser respeitadas e ouvidas.

Nesse aspecto, o relacionamento entre o rei Davi e o profeta Natã é exemplar. Davi é um dos personagens mais heroicos da Bíblia, um governante justo com dotes artísticos, um guerreiro estrategista que derrotou exércitos inimigos e unificou o reino de Israel. No entanto, em 2Samuel 11 o texto bíblico o retrata como um rei alienado, autocomplacente, encastelado em seu palácio enquanto seu exército enfrentava os amonitas, uma nação vizinha. "Certa tarde, Davi se levantou da cama depois de seu descanso e foi caminhar pelo terraço do palácio", quando avistou uma "mulher muito bonita que tomava banho" (2Sm 11.2). Era Bate-Seba, esposa de Urias, um de seus soldados de confiança que estava servindo Israel em batalha. Mesmo sabendo disso, Davi ordenou a seus empregados que a trouxessem até seus aposentos. Bate-Seba engravidou. A Bíblia conta que, na tentativa de esconder seu erro, Davi trouxe Urias do *front* de batalha até Jerusalém para que o soldado tivesse relações com a esposa e assumisse o filho pensando ser dele. Entretanto, Urias era fiel demais para "beber, comer e dormir" com Bate-Seba enquanto Israel estivesse em guerra (2Sm 11.11). Davi então envia Urias de volta à batalha e orienta o comandante Joabe a preparar uma emboscada para que o soldado fosse morto. Agora, a seu rastro de pecados, Davi acrescenta mais um: o assassinato.

Foi então que "o SENHOR enviou o profeta Natã a Davi" (2Sm 12.1). E Natã fez o que um profeta faz: falou com autoridade divina, repreendeu o governante entorpecido em seu próprio poder, convocou-o ao arrependimento e lembrou-o de sua responsabilidade de ser um ministro da justiça de Deus na terra, e não um *playboy* vivendo por seus caprichos. "Por que [...] você desprezou a palavra do Senhor e fez algo tão horrível? Você assassinou Urias, o hitita, com a espada dos amonitas e roubou a esposa dele!" (2Sm 12.9). O texto narra em detalhes o doloroso processo de arrependimento de Davi e a trilha de maldição que resultou de seu pecado, incluindo a morte de seu filho com Bate-Seba (2Sm 12.13-25; ver Sl 51). Ainda assim, a Bíblia o considera um "homem segundo o coração de Deus" (1Sm 13.14; At 13.22), talvez por sua abertura à repreensão e por sua humildade em ouvir sobre os próprios erros. E, atrás daquele grande homem do povo, havia um homem de Deus exercendo seu papel profético.

O profeta Jeremias não teve a mesma sorte de Natã. Entre os séculos 7 e 6 a.C., o povo judeu vivia um período de conflitos, invasões e deterioração econômica e social. Jeremias já havia criticado o rei Jeoaquim com palavras fortes: "Você [...] só tem olhos para a cobiça e a desonestidade; derrama sangue inocente e reina com crueldade e opressão" (Jr 22.17); e, como acontece em governos autoritários, tinha sido ameaçado de morte por profetizar contra Jerusalém, a capital do reino (Jr 26.11). A certa altura, Jeremias enviou ao templo seu assistente, Baruque, para que lesse as revelações que Deus lhe dera: "Quem sabe eles abandonem seus maus caminhos e peçam perdão ao Senhor antes que seja tarde demais", disse o profeta (Jr 36.7). Segundo a Bíblia, depois de ouvir Baruque no templo, os oficiais levaram os rolos até o palácio. O rei pediu a seu secretário que lesse as profecias de Jeremias e, à medida que o texto era lido, atirava os trechos no fogo até que todo o rolo fosse queimado: "Nem o rei nem seus servos mostraram qualquer sinal de medo ou remorso diante do que tinham ouvido" (Jr 36.24). Jeremias escreveu tudo de novo, e de novo, e passaria muitos anos escrevendo e profetizando, até ser preso acusado de deserção. O rei à época, Zedequias, era mais um dos governantes que encara seus críticos como "inimigos da pátria". "Esse homem deve morrer", disseram os oficiais do rei. "Suas palavras vão desanimar os poucos soldados que restam, bem como todo o povo. Ele não busca o bem, mas a desgraça da nação" (Jr 38.4). Jeremias então foi baixado por cordas num poço no pátio da prisão, onde ficou em meio à lama. Procurado por Zedequias para um aconselhamento e desafiado a não esconder a verdade, respondeu: "Se eu lhe disser a verdade, você me matará. E, se eu lhe der conselhos, você não me ouvirá" (Jr 38.15).

Jeremias sabia qual costuma ser o caráter dos poderosos: são homens inseguros, cercados de bajuladores e apoiadores incondicionais. Os profetas são as últimas pessoas a se prestar a esse papel. São os "gênios solitários" que aparecem sabe-se lá de onde para dizer aos governantes que eles são "companheiros de ladrões" que amam "subornos e exigem propinas" (Is 1.23), e que seus pecados e sua arrogância atrairão maldição e ruína sobre o povo (Am 4.7-10; Mq 2.3-5).

Quando Jesus envia seus discípulos para anunciar as boas-novas do reino dos céus, ele está confiando à igreja a missão que um dia foi dos excêntricos profetas de Israel — e os cristãos não devem esperar recepção diferente: "serão entregues aos tribunais e chicoteados nas sinagogas", "julgados diante de governantes e reis", presos, traídos, odiados e perseguidos de cidade em cidade (Mt 10.16-22). Porque a mensagem da igreja não é bem o tipo de coisa que os donos do poder gostam de ouvir.

É difícil imaginar Elias, Amós, Zacarias ou Jesus vestindo camisetas de políticos, subindo em trios elétricos para repetir *slogans* de campanha ou atestando a reputação deste ou daquele candidato. Inacreditavelmente, foi isso o que pastores e líderes brasileiros fizeram na campanha de 2018 — e não apenas os histriônicos adeptos do "voto de cajado" de sempre, mas também homens sérios, bem-intencionados e tradicionalmente discretos. Não só se ofereceram ao ativismo partidário, mas também emprestaram seu nome e sua credibilidade pública para afiançar políticos de carreira.

A história da polarização política brasileira em geral, e do bolsonarismo em particular, é também a história de como a igreja evangélica abriu mão de sua independência profética em troca de uma agenda moral e de representatividade política.

É verdade que essa deterioração começou muito antes da campanha de 2018. Desde as manifestações de 2013, passando pelas eleições de 2014 e o extenuante processo de *impeachment* de Dilma Rousseff em 2016, peça a peça a armadilha da intolerância e da raiva foi sendo montada. "Muitas pessoas de centro-direita começaram a ver o PT como uma ameaça existencial", explicou o cientista político Steven Levitsky, em sua já mencionada palestra em São Paulo. "Elas ficaram preocupadas que o PT estivesse se tornando um partido dominante, determinado a se firmar no poder durante décadas." A recíproca era verdadeira: "Por sua vez, líderes do PT têm descrito, inclusive seus adversários moderados de centro-direita, como 'golpistas', especialmente desde o *impeachment* de Dilma. Alguns petistas até chamam seus oponentes de direita de fascistas. Esse é o problema. É o fim ou a perda de tolerância mútua."[7]

Ser brasileiro, agora, significava escolher um lado e defender com veemência seu ponto de vista nas filas, nos bares, nas igrejas. O circo político se armou de modo tão ostensivo que, na primeira semana de maio de 2017, quando o ex-presidente Lula deu seu primeiro depoimento à Lava Jato, duas revistas semanais brasileiras, *Veja* e *IstoÉ*, trouxeram em sua capa montagens muito parecidas, em que o petista e o juiz Sergio Moro figuravam como boxeadores, encarando um ao outro. Estávamos tão imersos na polarização que achamos perfeitamente razoável que um juiz fosse retratado como um rival de alguém que deveria julgar. O importante era escolher um dos lados na "luta".

A temperatura só fez subir até as eleições, dali um ano. Mesmo desgastado pelos escândalos de corrupção, o PT dobrou a aposta na fidelidade ao partido e lançou uma chapa pura, com Lula para presidente e Fernando Haddad, ex-ministro da Educação e ex-prefeito de São Paulo, para vice. A decisão de lançar um presidiário como candidato transformou a campanha em um debate inflamado — não a respeito de propostas de governo, mas à legitimidade da prisão do ex-presidente. Foi a polarização da polarização. Pastores como Ariovaldo Ramos participaram de eventos "Lula Livre" em nome dos "evangélicos que resistiram ao golpe" e dizendo que Lula representava "tudo o que nós queremos para o trabalhador brasileiro".[8] Foi só no início de setembro que o PT admitiu oficializar uma nova chapa, com Fernando Haddad como candidato a presidente e a ex-deputada do PCdoB, Manuela D'Ávila, como vice. Em um comício na Lapa carioca, o pastor Henrique Vieira subiu ao palco com um broche de Haddad para dizer que "a igreja deve ser autônoma diante do Estado e diante dos partidos, mas não pode ser neutra diante da opressão e da violência", e que "as palavras e as práticas de Bolsonaro matariam Jesus hoje". Vieira disse que orava pelo "nosso adversário", Bolsonaro, "para que ele se converta ao amor e pare de usar o nome de Deus em vão".[9] A Frente Evangélica pelo Estado de Direito, um grupo de pastores progressistas, publicou um "Manifesto contra a candidatura de Jair Bolsonaro", no qual dizia levantar a voz "contra a violência, contra o machismo, contra o racismo, contra o preconceito, contra o sexismo, contra o autoritarismo e contra a exclusão manifestadas por Bolsonaro no exercício na vida política, e em seu excludente programa de governo", e convidava "o povo evangélico a repudiar as posições esboçadas por esse candidatura que propaga o ódio ao próximo e nega valores básicos do evangelho, além de ameaçar o restabelecimento da democracia no Brasil".[10]

Esse manifesto da Frente Evangélica era uma resposta à "Carta aberta à igreja brasileira" redigida por 33 líderes mais alinhados à direita conservadora e divulgada naquele mesmo mês de setembro de 2018. Embora não citasse nominalmente Bolsonaro, a carta chamava a igreja a escolher candidatos "com uma visão cristã do mundo", "comprometidos com a transparência e a moralidade", que apoiassem propostas a favor da vida "desde sua concepção no ventre materno" e que se opusessem a "ideologias anticristãs". Além disso, conclamavam contra uma possível "fraude no sistema eleitoral", em alinhamento a uma das teorias conspiratórias prediletas de Bolsonaro, historicamente desconfiado das urnas eletrônicas.[11]

As notícias a respeito dos líderes que se manifestavam publicamente, explicitamente, a favor de Jair Bolsonaro, eram diárias, especialmente (mas não apenas) entre os pastores midiáticos. O primeiro foi Silas Malafaia. Na verdade, no início de 2017, quase dois anos antes das eleições, já havia notícias dessa aproximação. Saindo de um desses encontros iniciais, Bolsonaro declarou ao jornal *Extra*: "O segmento evangélico está de olho na presidência em 2018, e fico feliz em estar no radar deles".[12] Quando a campanha eleitoral começou de fato, veio o apoio formal dos líderes das grandes redes eclesiásticas. R. R. Soares, da Igreja Internacional da Graça, afirmou que "o projeto dele [Bolsonaro] é o melhor, principalmente em relação à ideologia de gênero".[13] Edir Macedo, da Igreja Universal do Reino de Deus, declarou seu voto, respondendo a um fiel num vídeo no Facebook.[14] Valdemiro Santiago, da Igreja Mundial do Poder de Deus, esperou o segundo turno para pedir votos aos evangélicos do Nordeste, única região em que o PT teve maioria.[15] Ana Paula Valadão, da Igreja Batista da Lagoinha, convidou seus seguidores a votarem em Bolsonaro;[16] seu irmão, André, afirmou que o candidato era "o cara que o Brasil precisa para dar um choque principalmente na área da segurança".[17] Rinaldo Seixas, fundador da Bola de Neve Church, disse em um encontro de líderes de sua igreja que Bolsonaro era um candidato "pró-família, pró-Deus, pró-valores", e que se um partido de esquerda ganhasse as eleições, "a gente teme de verdade até uma revolução" se "centro-oeste, sul e sudeste não aceitarem esse governo" e "exigirem intervenção militar". O áudio de Seixas foi compartilhado milhões de vezes nas redes sociais como se fosse de autoria do padre Marcelo Rossi ou do padre Fábio de Mello (ambos foram a público negar o apoio político).[18] Claudio Duarte, pastor batista famoso por suas palestras para casais e *shows* de comédia, gravou diversos vídeos pró-Bolsonaro, inclusive usando o provocativo jargão de seus eleitores: "É melhor Jair se acostumando".[19] Carlito Paes, pastor-presidente da rede Igreja da Cidade, ironizou a aproximação de Haddad dos evangélicos no segundo turno e usou de suas redes sociais para dizer que, "mais do que nunca", seu voto seria "17".[20] Renê Terra Nova, fundador do Ministério Internacional da Restauração, levou um grupo de fiéis para um batismo coletivo no Rio Jordão, em Israel, de onde publicou um vídeo mostrando dezenas de fiéis em túnicas brancas na água, formando o número 17. "Qual o nosso número?", pergunta ele. "Dezessete!", respondem, em coro, os batizandos na água. "Qual o nome do nosso líder?", ele pergunta. "Bolsonaro!", respondem, antes de explodirem em gritos de "Mito! Mito! Mito!".[21]

A Legislação eleitoral brasileira proíbe o apoio institucional de igrejas a candidatos. Templos são espaços "de uso comum",[22] e neles propagandas políticas são proibidas. Nas eleições de 2018, o TSE considerou que o chamado "voto de cajado" uma forma de "abuso do poder religioso",[23] uma ameaça à democracia tão grande quanto o espalhamento de *fake news*. Mas a verdade é que, com impérios religiosos funcionando em formato de franquias, bispados, ministérios multilocais, células, igrejas coligadas e pequenos grupos, é muito difícil caracterizar uma propaganda política quando ela não é assumida. O que se sabe é que, ao final das eleições de 2018, a Justiça Eleitoral havia recebido 228 denúncias de propaganda irregular em ambiente religioso. Destas, 89 eram relacionadas a um único candidato, Jair Bolsonaro, e 90 eram de seu partido à época, o PSL.[24] Com uma legislação ainda frágil e cheia de brechas, todas as denúncias foram engavetadas.

Se os efeitos da propaganda política entre pastores e líderes cristãos não são claros para o processos eleitoral, seu estrago para as entranhas da igreja é indisfarçável: uma igreja que veste a camisa de um político, qualquer que seja ele, e que empenha sua autoridade para avaliar a propaganda criada por seus marqueteiros jamais terá o distanciamento necessário para exercer sua voz profética. A tendência nunca é voltar atrás, mas comprometer-se cada vez mais.

Em uma celebração em dezembro de 2018, na sede da Bola de Neve Church em São Paulo, subiu ao palco o dramaturgo Roberto Alvim, que havia acabado de receber o convite para o cargo de secretário de Cultura do governo Bolsonaro. Rinaldo Seixas estendeu suas mãos sobre Alvim e disse que enxergava as "mudanças" que Deus havia determinado para o Brasil: "Nós estamos diante de pessoas que o Senhor gerou, treinou, preparou e condicionou exatamente para essa hora. Porque tudo aquilo que eles viveram, de bom e de ruim, os capacitou para aquilo que eles precisam enfrentar [...]. E que o mundo possa reconhecer isso". Em seguida, Seixas chamou ao palco Kevin Leal (um norte-americano fundador que viaja o mundo se apresentando como "apóstolo e profeta") para que fizesse uma oração pelo secretário. Em vez disso, Kevin se dirigiu a Alvim dizendo — ou melhor, afirmando que Deus estava dizendo por intermédio dele: "Estou lhe dando uma unção intangível do Espírito Santo que não pode ser vista por homens, mas que pode ser sentida por cada pessoa no Brasil. Não foi você que se colocou aqui. Eu o coloquei nesta posição. [...] Eu estou colocando a próxima geração em suas mãos. [...] Você será capaz de entrar nos lugares de maiores trevas do Brasil. E você profetizará a palavra de um rei".[25] Trinta e um dias depois de receber sua unção intangível, já atuando em Brasília, Roberto Alvim publicou nas redes sociais um vídeo oficial que reproduzia a cenografia, o discurso e a trilha-sonora de pronunciamentos de Joseph Goebbels, ministro da Propaganda da Alemanha nazista de Adolf Hitler. Alvim foi exonerado no dia seguinte.

Aquele secretário que o "apóstolo e profeta" norte-americano garantiu que anunciaria palavras de um rei, em vez disso repetiu palavras de um ministro nazista. O presidente afiançado como defensor da vida, diante da notícia de que o

Brasil havia ultrapassado a China em mortos pelo coronavírus, respondeu: "E daí? Lamento. Quer que eu faça o quê? Sou Messias, mas não faço milagre".[26] Aquele cuja simples eleição atrairia "um *boom* econômico tão estarrecedor e tão rápido", pouco mais de um ano depois de eleito transformou o real na moeda que mais se desvaloriza entre os países emergentes[27] e fez da economia do Brasil a mais arriscada para os investidores estrangeiros.[28] Aquele que formaria um ministério técnico perdeu dois ministros da Saúde durante uma pandemia porque tinha opiniões divergentes da deles a respeito do isolamento social e do uso da cloroquina para tratamento da COVID-19.[29] Aquele que livraria o Brasil de se tornar como a Venezuela participa de atos organizados por falanges militarizadas[30] e armadas[31] criadas para intimidar a oposição, idênticas aos "coletivos" de apoiadores de Hugo Chávez.[32] O que as celebridades evangélicas prometeram que seria "o novo" revelou-se o patrimonialismo de sempre — capaz de usar uma embaixada para "beneficiar" um filho[33] ou interferir na Polícia Federal para obter informações de inquéritos contra outro.[34]

Em 2017, quando os escândalos de corrupção envolvendo a JBS foram revelados, o ator Tony Ramos, garoto-propaganda da Friboi, rompeu seu contrato com a empresa e veio a público se explicar. Ele sabia que, sempre que uma personalidade pública empenha sua imagem em um produto, põe em risco sua própria credibilidade. Em torno de um produto político, centenas de líderes cristãos brasileiros usaram seu nome — e não raro o nome do próprio Deus — para influenciar irmãos de fé e fazer propaganda ordinária. Em vez de enfrentar a dor de voltar atrás, muitos escolheram avançar. Em fevereiro de 2020, Silas Malafaia publicou em seu canal no YouTube algo que chamou de "entrevista exclusiva" com Jair Bolsonaro, mas que mais parecia uma peça de propaganda. As perguntas estavam mais próximas de declarações de apoio do que questionamentos: "Itamar Franco, Fernando Henrique, Lula, Dilma, Temer... todo mundo que foi presidente a primeira coisa que fez foi negociar ministérios e estatais para fazer uma base política. Você disse: 'Não vou negociar com ninguém'. Como é que você vê isso hoje?"; "A que você atribui isso, uma coisa tão ridícula, de tentar vincular o presidente da República e sua família com milicianos?"; "Eu tenho certeza que o seu governo está dando certo e vai dar mais certo ainda, seus inimigos vão ficar tudo com cara de tacho, vão ficar sem entender nada como já estão ficando: 'Como é que pode? Como ele conseguiu?'".[35]

Sem independência, não existe profecia. Foi esse inconformismo em relação ao poder que deu origem aos primeiros movimentos monásticos, quase que em resposta à cooptação da igreja cristã pelo Império Romano.[36] Os padres do deserto, como os anacoretas ou os cenobitas, se tornariam nos séculos seguintes vozes de crítica à própria igreja oficial, dispostos a romper seu isolamento tão somente para denunciar casos de corrupção ou heresias. Foi esse mesmo espírito profético, aliás, que moveria o ex-monge agostiniano Martinho Lutero a protagonizar no século 16 um movimento que ficou conhecido como "protestantismo" — palavra que, muitas vezes nos esquecemos, vem do verbo *protestar*.

Quando percebeu que "o segmento evangélico" estava "de olho na presidência", Jair Bolsonaro atingiu as lideranças cristãs em seu ponto fraco: representatividade. Passou a tirar fotos posando com livros de autores cristãos, a frequentar eventos evangélicos que jamais haviam entrado no radar da imprensa ou das autoridades, a sinalizar oportunidades em Brasília para quem já desenvolvia trabalhos importantes à margem do poder público. Em troca, tacitamente, calou a voz profética da igreja evangélica brasileira.

"Há duas maneiras de ser um profeta", ensina o padre franciscano Richard Rohr. "Uma é dizer aos escravos que eles podem ser livres. É o caminho difícil de Moisés. A segunda é dizer aos que pensam ser livres que eles estão, de fato, escravizados. Este é o caminho ainda mais difícil de Jesus."[37] Encantados com o "privilégio" de ocupar um lugar na corte, nossos profetas não têm mais nada a dizer sobre escravos e livres além do que o rei ordenar que eles digam: que a escravidão é culpa do STF, da imprensa, de governos estaduais, de prefeituras, dos outros poderes, de ex-ministros; que a liberdade vem da verdade que o monarca disser ser verdadeira.

Isaías foi um profeta da corte que viveu entre os séculos 8 e 7 a.C. Diferentemente da maioria dos outros profetas da Bíblia, era de família nobre, tinha educação formal e era bem relacionado. Tinha todo o perfil de alguém que se encantaria com as altas rodas da aristocracia, mas os escritos que deixou mostram exatamente o contrário. Logo no primeiro capítulo do livro que reúne seus textos, ele chama Israel de "Sodoma e Gomorra" — as duas cidades mencionadas no Gênesis destruídas por Deus em razão de sua violência e imoralidade. Mas, para Isaías, o que transforma uma nação em "Sodoma e Gomorra" não é apenas a agenda moral: "Aprendam a fazer o bem e busquem a justiça", diz Deus por meio do profeta. "Ajudem os oprimidos, defendam a causa dos órfãos, lutem pelos direitos das viúvas" (Is 1.17). "Parem de trazer ofertas inúteis; o incenso que oferecem me dá náusea! Suas festas de lua nova, seus sábados e seus dias especiais de jejum são pecaminosos e falsos; não aguento mais suas reuniões solenes! [...] Não olharei para vocês quando levantarem as mãos para orar; ainda que ofereçam muitas orações, não os ouvirei, pois suas mãos estão cobertas de sangue" (Is 1.13,15).

Quando falam do juízo de Deus, os profetas não estão se referindo "a uma imposição arbitrária de um Deus irado", como lembra Walter Bruggemann. "É, na realidade, como a vida funciona; não importa o quanto os fortes e poderosos se empenhem na ilusão de sua própria excepcionalidade."[38] Ser profeta é mais que desestabilizar o ambiente e falar em nome de Deus. É, acima de tudo, lembrar aos que se imaginam senhores que há um Senhor acima deles. Que esse Senhor é um Deus de amor, justiça, paz. E que, sem essa clareza, tudo o que esses senhores atrairão sobre si será dor e destruição. Simplesmente porque é assim que a vida funciona.

É muito provável que essa mensagem nos mantenha longe das esferas terrenas de poder. Paciência. Se os senhores da terra não aceitam Deus como ele é, mas querem usar seu nome para o que querem que ele seja, tudo passa a ser uma questão de decidirmos a que senhor iremos agradar.

15
Deus e o diabo

....

Em seguida, Jesus foi conduzido pelo Espírito ao deserto para ser tentado pelo diabo. Depois de passar quarenta dias e quarenta noites sem comer, teve fome.

O tentador veio e lhe disse: "Se você é o Filho de Deus, ordene que estas pedras se transformem em pães".

Jesus, porém, respondeu: "As Escrituras dizem: 'Uma pessoa não vive só de pão, mas de toda palavra que vem da boca de Deus'".

Então o diabo o levou à cidade santa, até o ponto mais alto do templo, e disse: "Se você é o Filho de Deus, salte daqui. Pois as Escrituras dizem: 'Ele ordenará a seus anjos que o protejam. Eles o sustentarão com as mãos, para que não machuque o pé em alguma pedra'".

Jesus respondeu: "As Escrituras também dizem: 'Não ponha à prova o Senhor, seu Deus'".

Em seguida, o diabo o levou até um monte muito alto e lhe mostrou todos os reinos do mundo e sua glória. "Eu lhe darei tudo isto", declarou. "Basta ajoelhar-se e adorar-me."

"Saia daqui, Satanás!", disse Jesus. "Pois as Escrituras dizem: 'Adore o Senhor, seu Deus, e sirva somente a ele'."

Então o diabo foi embora, e anjos vieram e serviram Jesus.

MATEUS 4.1-11

....

Um dos aspectos mais singulares — e francamente desconcertantes — da espiritualidade ensinada por Jesus é que em geral o que importa nela acontece fora do alcance dos olhos. Mesmo quando a Bíblia propõe expressões exteriores, elas vêm acompanhadas daquilo que ocorre de forma invisível. Por exemplo, não basta ser batizado; é preciso crer (Mc 16.16). Não basta ouvir a palavra de Cristo; é preciso crer naquele que o enviou (Jo 5.24). Não basta "declarar com sua boca que Jesus é o Senhor"; é preciso também "crer em seu coração que Deus o ressuscitou dos mortos" (Rm 10.9). Isso acontece porque Jesus inaugura a era em que Deus é adorado "em espírito e em verdade" (Jo 4.24). A era em que a caridade e as orações são feitas em segredo (Mt 6.4-5), em que desejar o mal em seu íntimo é tão devastador quanto praticá-lo (Mt 5.21-22,27-28), em que nem o *status* material (Lc 16.19-31) nem o *status* religioso (Lc 18.9-14) são relevantes como sinais de uma espiritualidade sadia.

O Deus revelado por Jesus Cristo não é como os outros deuses pagãos, que precisavam ser acionados por uma expressão religiosa do fiel. Deus não espera nosso sacrifício; pelo contrário, ele é que sacrificou seu próprio Filho em nosso favor (Jo 3.16-17). Deus não é um ser impassível que espera ser convencido por meio de ofertas ou penitências, mas é aquele que nos ama antes de qualquer gesto de amor da nossa parte (1Jo 4.10). É isso que a Bíblia chama de "graça" (Ef 2.4-5): Deus nos ama não *por causa* do que somos ou fazemos, mas *apesar* do que somos e do que fazemos.

Isso tem, ou deveria ter, dois efeitos práticos entre os seguidores de Jesus. O primeiro é que esse amor gracioso põe para girar uma enorme roda de virtude na qual o amor não espera ser chamado, ele ama; não espera merecimento, ele doa; não espera benefício de nenhuma espécie, os beneficiados é que se dispõem a multiplicar esse amor em direção aos que precisam dele.

O segundo efeito é a inclusão: se Deus já ofereceu seu amor às pessoas mais indignas, e se tudo o que importa na relação delas com Deus acontece fora do alcance dos nossos olhos, então só nos resta acolhê-las como irmãs e irmãos verdadeiros. É por isso que esse contingente gigantesco de pessoas que se chamam "cristãs" não apenas forma uma massa heterogênea, de diferentes culturas, extratos sociais, níveis educacionais e ênfases doutrinárias, mas também mistura, indistintamente, gente sincera e gente dissimulada, crentes maduros e crentes infantilizados, mulheres que doam e mulheres que usurpam, homens que falam sobre amor do fundo da alma e homens que falam o que decoraram dos livros. Cada um em um ponto diferente da estrada da vida, lutando com cicatrizes pessoais e espíritos desconhecidos para os que olham de fora. Há pastores expressando doutrinas bíblicas com grande eloquência e eficiência, mas com o coração repleto de arrogância; há leigos nas praças pregando verdades simples com português ruim e mudando o destino de famílias inteiras. O "verdadeiro" cristianismo não está em nenhum lugar ao alcance dos nossos olhos, e, portanto, qualquer discussão sobre "verdadeiros cristãos" é perda de tempo.

Imagine, então, discutir sobre "verdadeiros *políticos* cristãos".

O Brasil teve dois presidentes evangélicos: Café Filho (1954–1955) e Ernesto Geisel (1974–1979). Em comum, dois membros de igrejas protestantes históricas (o primeiro presbiteriano, o segundo luterano) que assumiram a presidência sem passar pelo crivo das eleições diretas (Café Filho assumiu após o suicídio de Getúlio Vargas, e Geisel foi escolhido pelos deputados federais durante o regime militar). Assim, a primeira vez que ouvimos a máxima "irmão vota em irmão" ressoando pelas igrejas foi apenas em 2002, com Anthony Garotinho disputando a presidência da República.

A campanha de Garotinho começou, na verdade, em 1999, pouco depois de ser eleito governador do Rio de Janeiro. Famoso no estado como radialista e convertido à fé evangélica quatro anos antes, Garotinho passou a viajar por igrejas de todo o Brasil dando testemunho de sua conversão, no que foi entendido por seu próprio partido à época, o PDT, como uso político da religião.[1] Candidato a presidente três anos depois, seu discurso combinava nacionalismo, moralismo e esquerdismo. A bordo do PSB, sem alianças regionais, ainda assim foi o terceiro candidato com mais votos em 2002. Seu apoio a Lula no segundo turno foi considerado fundamental para que diversos líderes evangélicos também acabassem apoiando o petista. Quatro anos depois, desta vez no PMDB, Garotinho tentou de novo. Em vez de cruzar o país de igreja em igreja como na campanha anterior, ganhou um quadro semanal no programa *Vitória em Cristo*, que Silas Malafaia apresentava nas TVs Bandeirantes e RedeTV!, além de manter seu próprio *syndication* de programas de rádio evangélicos para mais de duzentas emissoras.[2] No final, o PMDB decidiu não lançar candidatura própria.

As duas eleições presidenciais dos anos 2000 registraram o público evangélico mobilizado em torno de candidatos de esquerda — em 2002, em especial, Lula e Garotinho somavam 66% dos votos desse eleitorado.[3] Na década seguinte, o aumento fenomenal da fatia de brasileiros identificada como evangélica (61% entre os censos de 2000 e 2010) coincidiu tanto com a crise da esquerda e os escândalos de corrupção dos partidos maioritários (PT e PSDB) quanto com certo charme em torno do conservadorismo e do liberalismo entre líderes e formadores de opinião cristãos. Ainda assim, nada que alterasse a tendência natural à divisão dentro do universo evangélico.[4]

O sociólogo inglês Paul Freston, estudioso do envolvimento político protestante em países emergentes, nota que, historicamente, definir um comportamento ideológico típico dos evangélicos é impossível: "Já tivemos, por exemplo, um presidente evangélico de país latino-americano que era general; chegou à presidência por meio de um golpe militar e conduziu a mais sangrenta repressão que aquele país conturbado já conheceu", escreveu, em referência ao guatemalteco Efraín Ríos Montt, que gostava de dizer que "o verdadeiro cristão carrega a Bíblia em uma mão e a metralhadora na outra". No outro extremo, Freston menciona uma guerrilha de inspiração marxista numa região da Índia chamada Nagalândia, que se autoproclama evangélica, cujo lema é "Nagalândia para Cristo" e que mantém um conjunto musical que viaja pela região evangelizando. E, para dar um exemplo particularmente chocante, o sociólogo menciona Frank Chikane, pastor pentecostal e membro do Congresso da África do Sul, que nos tempos do *apartheid* foi preso por visitar os irmãos da igreja que estavam presos; na prisão, foi torturado por um diácono de sua própria denominação.[5]

No Brasil, em especial, um país em que traficantes ameaçam rivais nas redes sociais citando versículos bíblicos e destroem terreiros de umbanda nas favelas "em nome de Jesus",[6] é um trabalho inglório tentar deduzir o que esse eleitor imagina ser um mandato político fundamentado nos ensinos de Cristo. Sobretudo porque essa é uma daquelas respostas que não aparecem prontas na Bíblia. Os relatos bíblicos se dão em um contexto séculos antes da formação do conceito moderno de Estado-nação e do surgimento das Repúblicas, e a própria ideia de democracia ainda era uma experiência ateniense em aperfeiçoamento. Mas há algumas aplicações possíveis a respeito da organização social (que é o sentido mais literal da palavra "política") quando redimida pelas boas-novas de Jesus. E essas aplicações podem ser feitas com base naquilo que a Bíblia nos conta sobre o contraste radical entre a visão de espiritualidade de Deus e a visão de espiritualidade do diabo.

Os Evangelhos narram o episódio em que, depois de ser batizado, Jesus se dirigiu ao deserto para uma espécie de "prova" que lhe seria aplicada pelo diabo. (A nossa visão contemporânea do diabo e do inferno é contaminada por séculos de literatura fantástica e pelo cinema de horror. Uma vez que o detalhamento disso está longe de ser o assunto deste livro, queria apenas oferecer o comentário do teólogo Basil Atkinson de que existe "um mundo invisível habitado por inteligências que, de uma maneira que ignoramos, exercem o poder da sugestão sobre nossa mente";[7] isso talvez baste para nosso raciocínio.) A Bíblia conta que Jesus se retirou por quarenta dias para orar e jejuar na companhia de "anjos" e "animais selvagens" (Mc 1.12). Durante esse tempo, Satanás o tentou, recorrendo a "iscas" que poderiam seduzi-lo. É assustador notar como, passados dois mil anos, trata-se exatamente das mesmas iscas que os políticos usam para fisgar os seguidores de Cristo: os dogmas, a Bíblia e a barganha.

Os cristãos protestantes não lidam bem com o termo "dogma", mas o fato é que o cristianismo é dogmático. Qualquer tradição cristã afirmará que o universo foi, de alguma forma, criado por Deus. Que esse Criador é um Deus pessoal, relacional, que pode ser ofendido ou honrado. Que Deus se encarnou na pessoa de Jesus Cristo. Que a morte de Cristo, de alguma forma, reconciliou a humanidade com o Pai. Que, de alguma forma, em algum momento, Jesus voltará. E todos os cristãos afirmarão que descobriram isso tudo na Bíblia, que é o livro em que esse Deus escolheu para registrar sua revelação. Tudo isso é dogma. E é por causa de seus dogmas que, por exemplo, o cristão afirmará que o padrão de Deus para o casamento é o monogâmico, heterossexual e indissolúvel; que homens e mulheres têm papel diferentes e complementares na relação conjugal; e que a vida humana é preciosa para Deus e não deve ser interrompida por outros seres humanos.

Há algumas décadas, o neoateísmo e o cientificismo vêm tentando provar que o dogma é o grande trampolim da intolerância. É o que lemos na "Declaração de Princípios sobre a Tolerância" de 1995 da ONU: "A tolerância é o sustentáculo dos direitos humanos, do pluralismo, da democracia e do Estado de Direito", e implica a "rejeição do dogmatismo e do absolutismo".[8]

Foi justamente o dogma o que o diabo usou para iniciar sua tentação a Jesus: "Se você é o filho de Deus, ordene que estas pedras se transformem em pães" (Mt 4.3). Ali, no deserto, estava o homem de Nazaré, conhecido como o filho do carpinteiro. Crer que ele é o próprio Filho de Deus, o Messias anunciado pelos profetas, é um dogma. Jesus, porém, responde de forma serena: "Uma pessoa não vive só de pão, mas de toda palavra que vem da boca de Deus". Em vez de se envolver em debates metafísicos a fim de comprovar sua divindade, Jesus apenas informa que ele já está nutrido das palavras de seu Pai e não se interessa pelo que o diabo tem a oferecer.

(Não gostaria de passar para o próximo ponto antes de registrar que entendo que a redação daquele artigo da "Declaração de Princípios sobre a Tolerância" foi infeliz e discriminatória em relação a toda fé sobrenatural. Porque a intolerância não nasce do dogma: é perfeitamente possível ter uma fé baseada em dogmas e ser tolerante com o direito de outros manifestarem sua fé baseada em outros dogmas. É perfeitamente possível acreditar no padrão bíblico do casamento e, ainda assim, defender a dignidade humana de um jovem *gay* que foi expulso de casa por sua família intolerante, ou que nenhum cidadão deve ser privado de seus direitos civis. É perfeitamente possível acreditar no que a Bíblia diz a respeito dos papeis diferentes de homens e mulheres e, ainda assim, reconhecer que ambos devem ter os mesmos salários e o mesmo respeito. É perfeitamente possível reconhecer que a mesma experiência religiosa que aconteceu comigo acontece diariamente com gente boa, digna e esclarecida que se identifica com os dogmas do islamismo, do budismo, da umbanda, sempre da mesma maneira alumbrada e misteriosa — ou que não acontece com os ateus. A intolerância não nasce do dogma, mas sim da presunção e da arrogância de quem considera seu dogma o único que merece espaço no debate público.)

Sem sucesso com a isca do dogma, o diabo, então, testa Jesus com a Bíblia na mão. Vou repetir: o diabo usa a Bíblia para tentar quem tem fé. Ele cita, correta e solenemente, o salmo 91: "Se você é o Filho de Deus, salte daqui. Pois as Escrituras dizem: 'Ele ordenará a seus anjos que o protejam. Eles o sustentarão com as mãos, para que não machuque o pé em alguma pedra'" (Mt 4.5-6). No mundo da religiosidade mágica e infantil, nós aprendemos que a Bíblia afugenta o diabo como a luz do sol afugenta o vampiro. Mas aqui, nos textos sagrados, o diabo aparece citando versículos com naturalidade e intimidade. Parece que Deus quer nos ensinar a ser menos tolos, a olhar com desconfiança para os que se apresentam recitando a Bíblia, usando adereços de cristão, mas jogando em benefício próprio.

A última cartada de Satanás é a sedução do poder. A Bíblia conta que o diabo mostrou a Jesus "todos os reinos do mundo e sua glória". "Eu lhe darei tudo isto", disse a Jesus. "Basta ajoelhar-se e adorar-me" (Mt 4.9). A barganha é típica da mentalidade religiosa pagã: oferta-se ao deus-trovão na esperança de acalmar a tempestade, à deusa-chuva em nome da boa colheita, à deusa-mar pela segurança dos pescadores. E é a mentalidade dos atuais pregadores da prosperidade: um deus que oferece toda a glória dos reinos do mundo para quem o adorar com louvores, com dízimos, com a assiduidade nas campanhas de milagre. Na Bíblia, porém, a barganha não está na boca de Deus, mas na boca do diabo.

O Deus da Bíblia é um Deus de graça, não de barganha. É o Deus cujo grande apelo de *marketing* não é "eu lhe darei concessões de TV, cadeiras no STF, *shows* em estádio, leis de renúncia fiscal e subsídios culturais", mas sim o "negue a si mesmo, tome diariamente sua cruz e siga-me" (Lc 9.23). A barganha é o que a classe política pode oferecer em troca de propaganda disfarçada de profecia. Jesus Cristo, entretanto, diante da tentativa do diabo de seduzi-lo com as glórias deste mundo, diz apenas: "Saia daqui, Satanás! [...] Pois as Escrituras dizem 'Adore o Senhor, seu Deus, e sirva somente a ele'" (Mt. 4.10). É, mais uma vez e sempre, uma questão de decidir a quem iremos servir.

Em meio a tudo isso, convém dizer que o cinismo e o niilismo não são alternativas possíveis para o seguidor de Jesus. Pelo contrário, a Bíblia nos orienta e manter o foco em tudo que for "excelente e digno de louvor" (Fp 4.8) — o que inclui, sim, políticas públicas, movimentos sociais e, até, campanhas eleitorais. É dever do cristão avaliar, com os critérios da mente de Cristo, as propostas de governo, os candidatos disponíveis e os sistemas políticos humanos, por mais limitados e imperfeitos que sejam, a fim de tentar construir, aqui e agora, uma organização social tão excelente e tão digna de louvor quanto possível.

E, uma vez que a mente de Cristo não está nem nos dogmas, nem na manipulação da Bíblia, nem na barganha, gostaria de oferecer como bússola duas pequenas e poderosas recomendações que o próprio Jesus deu a seus discípulos: "Não sejam como eles" (Mt 6.8) e "Entre vocês, porém, será diferente" (Mc 10.43). Ou seja: a escala de valores é outra, própria dos que se aproximaram do reino de Deus.

"Não há um parágrafo no Sermão do Monte em que não se trace este contraste entre o padrão cristão e o não cristão", ensinou John Stott. "Às vezes, Jesus contrasta os seus discípulos com os gentios ou com as nações pagãs. Assim, os pagãos amam-se e saúdam-se uns aos outros, mas os cristãos têm de amar os seus inimigos (Mt 5.44-47); [...] os pagãos estão preocupados com as suas próprias necessidades materiais, mas os cristãos devem buscar o reino e a justiça de Deus (Mt 6.24-34)."[9] Trata-se, nas palavras do teólogo Joachim Jeremias, de "dois grupos de pessoas totalmente diferentes".[10]

O pastor norte-americano John Piper usou essa mesma bússola quando falou a respeito da teologia da prosperidade: "O evangelho da prosperidade não é evangelho", disse ele, "porque o que ele faz é oferecer às pessoas o que elas já querem como 'pessoas naturais'. Você não precisa nascer de novo para querer ser rico".[11]

Quem sabe tenhamos aqui uma ótima fórmula para avaliar o cenário político a cada nova campanha eleitoral. Por exemplo, se as "pessoas naturais" só se relacionam com as de seu próprio grupo ideológico (Mt 5.46-47), um candidato capaz de dialogar, liderar e dar unidade a uma equipe diversa parece algo mais próximo da mente de Cristo. Se os que nasceram de novo buscam o reino de Deus e sua justiça antes das coisas materiais (Mt 6.24-34), parece que as propostas para os tesouros que as traças e a ferrugem não podem destruir (como a educação, por exemplo) devem ditar as políticas econômicas, e não o contrário (Mt 6.19-20). Se Jesus nos ensina que "há maior bênção em dar que em receber" (At 20.35), a ideia de um candidato que privilegie as igrejas deve nos parecer muito menos atraente que a de outro que saiba incluir as igrejas em programas de amparo aos mais frágeis. Um candidato que fale em acolher o órfão, a viúva e o estrangeiro sempre deve falar mais alto ao nosso coração que os que tentem barganhar com nossos líderes, ou usar nossa Bíblia, ou impor nossos dogmas em cédulas de dinheiro ou repartições públicas. Esses truques talvez funcionem com os outros, mas Jesus nos incentiva a ser diferentes deles.

Não precisamos do evangelho para construir uma sociedade em que os mais fortes dominem os mais fracos ou que a maioria subjugue a minoria — até os animais são assim. Não precisamos do "fôlego da vida" (Gn 2.7) para decidir que o dinheiro é mais importante que a arte — as máquinas podem calcular isso por nós. Não precisamos dos conselhos de Deus para arrancar tudo o que nos interessa do jardim até que dele não reste mais nada, mas nós ouvimos a voz do Criador nos dizendo para "cultivá-lo e tomar conta dele" (Gn 2.15). Pensaríamos por nós mesmos que o melhor é dominar, dar ordens e exercer poder sobre os outros, mas foi nosso Mestre quem nos ensinou a servir: "Não será assim entre vocês".

Qual a probabilidade de encontrarmos um programa de governo ou um candidato assim? A mesma de eu encontrar um leitor e de você encontrar um escritor assim: nenhuma. Somos vacilantes, covardes e carnais, e numa democracia estaremos sempre dialogando com outras pessoas vacilantes, covardes e carnais, com o mesmo direito de fala e voto. Às vezes, encontraremos mais excelência e virtude num candidato mais parecido conosco, às vezes, surpreendentemente, no que está num campo ideológico diferente do nosso. Tudo bem. Nosso compromisso não é com homens nem ideologias, mas sim com a possibilidade de, com nosso voto, sinalizar o reino dos céus hoje, neste ano, nesta eleição, nesta cidade, neste país, um passo por vez.

E, para isso, é fundamental que saibamos, antes de tudo, discernir a voz de Deus da voz do diabo nos testando com a Bíblia na mão.

16
Lobos

....

Tomem cuidado com falsos profetas que vêm disfarçados de ovelhas, mas que, na verdade, são lobos esfomeados. Vocês os identificarão por seus frutos. É possível colher uvas de espinheiros ou figos de ervas daninhas? Da mesma forma, a árvore boa produz frutos bons, e a árvore ruim produz frutos ruins. A árvore boa não pode produzir frutos ruins, e a árvore ruim não pode produzir frutos bons. Toda árvore que não produz bons frutos é cortada e lançada ao fogo. Portanto, é possível identificar a pessoa por seus frutos.

Nem todos que me chamam: "Senhor! Senhor!" entrarão no reino dos céus, mas apenas aqueles que, de fato, fazem a vontade de meu Pai, que está no céu. No dia do juízo, muitos me dirão: "Senhor! Senhor! Não profetizamos em teu nome, não expulsamos demônios em teu nome e não realizamos muitos milagres em teu nome?". Eu, porém, responderei: "Nunca os conheci. Afastem-se de mim, vocês que desobedecem à lei!".

MATEUS 7.15-23

....

Há horas e horas de imagens da campanha presidencial de 1989 disponíveis no YouTube. Assistir a esses vídeos hoje é diferente de ir a um museu; talvez seja uma experiência mais parecida com a de ser catapultado a uma outra dimensão, um universo sem regras e sem compromissos com qualquer coisa que se imagine como uma postura "presidenciável": nada menos que 22 candidatos viajando em aviões de carreira entre os comícios, ofendendo uns aos outros, com Jânio Quadros e Silvio Santos tumultuando o processo eleitoral, ex-mulheres chamadas para a briga para contar de abortos da juventude, *jingles* inesquecíveis e até sequestro com suspeita de envolvimento político. Já vi briga de rua com mais liturgia que aquilo. Mas era o início de uma democracia popular no Brasil, a primeira eleição de nossa história com participação dos analfabetos, a primeira em que mais de 25% dos brasileiros votaria,[1] a primeira com o papel decisivo da televisão.

O *marketing* político já era uma necessidade no mundo desenvolvido desde quando um suado, cansado e despreparado Richard Nixon perdeu as eleições norte-americanas para um impecável John Kennedy, graças, ninguém discute, àquele que foi o primeiro debate presidencial televisivo da história. Foi no mesmo ano de 1960 em que tivemos a última eleição direta para presidente no Brasil antes do regime militar, vencida por Jânio Quadros e João Goulart. Só voltaríamos às urnas 29 anos depois, em uma país interligado via satélite, com uma geração de eleitores criados em frente à televisão, comprando produtos anunciados em vídeo, prestes a escolher um presidente da era do audiovisual.

O sociólogo Marcos Coimbra, um dos coordenadores da campanha de Fernando Collor em 1989, contou ao *Estadão* que, naquela campanha, o alagoano usou pela primeira vez "um pacote de técnicas e procedimentos típicos da propaganda de mercado", como pesquisas de público para refinar o discurso de um candidato. Além disso, "a legislação permitia algo fundamental para a transformação de Collor em figura nacional e que nunca mais existiu: ele usou, entre março e início de maio, os horários eleitorais de três partidos, o partido dele e de mais dois outros pequenos".[2] Jovem, bem alinhado, bem articulado e com um discurso moral de combate aos "marajás" do funcionalismo público, com seus ataques frontais ao impopular presidente José Sarney e com três horas diárias na televisão, Collor era, de longe, o mais bem acabado produto de mídia entre os 22 candidatos daquela época — e de fato acabou passando para o segundo turno para disputar a presidência com o deputado constituinte e ex-sindicalista Luiz Inácio Lula da Silva.

O último e famigerado debate presidencial, transmitido em 14 de dezembro de 1989, foi, do início ao fim, uma sucessão de absurdos. José Bonifácio de Oliveira Sobrinho, o Boni, principal executivo da Rede Globo na época, confessou que "toda a parte formal" daquele debate foi produzida pelos profissionais da emissora com o intuito de contrabalancear um candidato que era visto como "o povo" com outro que era "a autoridade". "Então nós conseguimos tirar a gravata do Collor, botar um suor com uma glicerinazinha e botamos as pastas todas que estavam ali [no púlpito] com supostas denúncias contra o Lula, mas as pastas estavam inteiramente vazias, com papéis em branco. Foi uma maneira de melhorar a postura do Collor junto ao espectador para ficar em pé de igualdade com a popularidade do Lula", confessou Boni.[3] No dia seguinte ao debate, véspera da votação do segundo turno, Roberto Marinho, dono da TV Globo, mandou que o compacto com os melhores momentos exibido no *Jornal Hoje* fosse reeditado para a exibição à noite no *Jornal Nacional*: "O Collor ganhou e a edição foi favorável ao Lula. Isso é inadmissível para os padrões da Globo. Faça a matéria correta".[4] A edição no *Jornal Nacional*, que mostrava Lula gaguejando e concedia noventa segundos a mais para Collor, foi tão controversa que o PT entrou com uma ação (indeferida) contra a emissora no TSE, e artistas da própria Globo fizeram um protesto em frente à sua sede. Nos anos seguintes, o manual de práticas para cobertura de debates foi se aperfeiçoando, assim como a própria lei eleitoral, a fim de impedir que distorções como aquela se repetissem.

Mas não foram apenas a cobertura e a legislação que mudaram. Mudou também a politização do povo brasileiro. Se em 1989 dois entre dez eleitores não sabiam sequer citar o nome do presidente da República,[5] nas décadas seguintes a política foi voltando às conversas populares, às mesas de bar, aos almoços de domingo. Enquanto isso, as ferramentas do *marketing* político se profissionalizaram e se sofisticaram.

Depois de ser derrotado por Collor, Lula disputou as eleições de 1994 e 1998 com Fernando Henrique Cardoso. Foi derrotado nas duas vezes. Em 2002, candidatou-se novamente, desta vez com um projeto de reposicionamento de imagem conhecido como "Lulinha Paz e Amor". Para cuidar da campanha, o PT contratou o publicitário baiano Duda Mendonça, famoso por ter conduzido Paulo Maluf à prefeitura de São Paulo no início dos anos 1990, rompendo sua altíssima rejeição entre o eleitorado paulistano. A missão de Duda em 2002 era ajudar a apagar a imagem radical de Lula, o "Sapo Barbudo" das greves e do sindicalismo que pregava o calote no FMI e preferia o vermelho ao verde e amarelo. Entra em cena um Lula sorridente, brincalhão, familiar, apoiado por empresários, "que usava o programa eleitoral na TV para prioritariamente divulgar seu programa de governo", como descreveu o repórter da *Folha*, Plínio Fraga, e "evitava respostas a questões que pudessem desagradar a algum segmento do eleitorado ou a algum aliado, vários deles adversários históricos entre si ou concorrentes nas disputas estaduais".[6] O trabalho de Duda com Lula se tornou um marco na história do *marketing* político brasileiro — e também na história da corrupção eleitoral, com mais de R$ 10 milhões pagos ao publicitário via caixa dois.[7]

O fato é que, no século 21 em especial, os políticos são o rosto visível à frente de grandes e milionárias equipes que reúnem sociólogos, jornalistas, pesquisadores, estrategistas, publicitários, produtores, especialistas em oratória e expressão corporal, entre outros. Nenhum debate, de nenhum candidato, jamais é feito sem dias e dias de simulações, *media trainings*, grupos focais com eleitores, ajustes no discurso, estudo de falhas e estratégias para driblar assuntos espinhosos.

Entretanto, nunca houve duas eleições iguais. Se, por um lado, o *marketing* político se sofisticava, por outro os escândalos de corrupção e abusos durante as campanhas se multiplicavam e as leis eleitorais se tornavam mais rígidas. Ajustes constantes, importantes, civilizatórios, em uma democracia ainda muito jovem, numa era de acelerada evolução tecnológica.

Jair Bolsonaro representou para o mundo do *marketing* político uma ruptura tão profunda quanto Fernando Collor trinta anos antes. Orientado por seus filhos, Bolsonaro usou e abusou do poder da internet tanto quanto o alagoano havia usado e abusado do poder da televisão, muito além do que seus oponentes imaginavam ser possível e muito acima do que era possível legislar. Embora no conteúdo os discursos de Bolsonaro e Collor guardassem semelhanças (a comoção moral diante da corrupção, as menções à "ameaça comunista", o tom agressivo contra governos anteriores, as críticas ao peso do Estado etc.), a forma de comunicá-lo era muito diferente, porque era preciso seduzir um público que mudou muito em três décadas. Collor era o representante do brasileiro médio que queria entrar no mundo da política; Bolsonaro representava o brasileiro médio que queria *sair* do mundo da política. Collor, com seus exercícios de *cooper* e seus passeios de *jet ski*, era o dinamismo e a juventude de um país isolado que sonhava romper suas barreiras; Bolsonaro era o despojamento milimetricamente calculado, aparecendo em fotos desfocadas vestido de bermuda e chinelo no caixa eletrônico, em reuniões com os filhos regadas a café preto no copo americano, milho cozido com *ketchup* e pão com leite condensado sobre uma mesa repleta de migalhas.

É a "folclórica simplicidade que Bolsonaro se esforça tanto em ostentar", como cutucou a coluna Maquiavel da revista *Veja*, sobre a ocasião em que o presidente posou com seus ministros durante uma reunião oficial usando uma camisa falsificada do Palmeiras.[8] Mas é também, e sobretudo, um truque de *marketing* muito conhecido no meio publicitário chamado, ironicamente, "Lei da Sinceridade". Funciona assim: quando o anúncio ressalta um aspecto negativo do produto que quer vender, o consumidor responde, instintivamente, com uma contrapartida positiva. Por exemplo, o famoso *slogan* "Listerine, o sabor que você odeia duas vezes por dia", é respondido com algo do tipo: "pelo menos ele mata os germes" ou "um enxaguante bucal não tem de ser gostoso, tem de ser eficiente". Outro caso clássico é o das geleias Smucker's, cujo *slogan* é, até hoje, "Com um nome como Smucker's, tem de ser bom". A estratégia de Bolsonaro — um político profissional que colocou mulheres e filhos na vida pública e agora precisava ser vendido como *outsider* — era exatamente esta: assumir seu aspecto folclórico e grotesco e ressaltá-lo, em vez de camuflá-lo. Assim, "ele não sabe nada sobre economia" se torna "ele se cercará de um ministério técnico"; "ele é incapaz de negociar" se torna "ele acabará com o toma-lá-dá-cá"; "ele é grosseiro" se torna "ele é sincero"; "ele passou décadas recebendo o dinheiro do contribuinte sem produzir nada de relevante" se torna "ele nunca aceitou se juntar com os políticos corruptos", e assim por diante. É propaganda de mercado, aplicada ao produto político.

Mas, além das regras de *marketing*, houve um fator completamente novo na estratégia de Jair Bolsonaro. Trata-se daquilo que o escritor Andrew Keen batizou de "culto do amador",[9] a ideia amplamente disseminada desde o surgimento da *web* 2.0 de que blogueiros amadores têm tanta credibilidade quanto especialistas em seus campos de atuação. A estética de Bolsonaro é exatamente a mesma de garotos falando para a câmera de dentro do seu quarto. Falhas no roteiro, ausência de dados e produção mambembe não são evitados; na verdade, são buscados deliberadamente. Em sua primeira entrevista coletiva como presidente eleito, por exemplo, Bolsonaro recebeu a imprensa no quintal de sua casa e usou uma prancha de *bodyboard* sobre uma mesinha metálica a fim de "improvisar" um púlpito para os microfones.[10] O efeito nas redes sociais, é claro, foi imediato, como que comprovando a simplicidade e pureza do novo presidente.

"É a ideia de que, quanto menos você sabe, mais você sabe", disse Andrew Keen, crítico feroz dessa "fetichização da inocência" das redes sociais. "Jimmy Wales, fundador da Wikipédia, disse a famosa frase: 'Eu não confio em um professor de Harvard mais que em um garoto de quinze anos para postar na Wikipedia'. É uma afirmação bastante ideológica. Ele está dizendo que, mesmo com trinta anos de experiência em uma área como zoologia, filosofia ou teologia, você não sabe mais que um garoto de quinze anos. É o culto da criança, o culto do inocente, é Jean-Jacques Rousseau em uma frase. E isso é muito perigoso." Segundo Keen, o perigo dessa mentalidade está na própria deturpação do conceito da democracia representativa, na qual o povo escolhe seus representantes a partir de um grupo de profissionais qualificados e preparados. "Os democratas radicais da internet, os ideólogos da *web* 2.0, acreditam que toda democracia deve ser pura. Democracia pura, na verdade, não funciona. Ela degenera e vira anarquia e, em vez de democracia, leva à oligarquia."[11]

Keen falava do conteúdo na internet de 2009 quando o definiu como "muito ruído, mas pouca verdade e qualidade", mas poderia muito bem referir-se ao papel de Jair Bolsonaro como um político que é, ao mesmo tempo, fiel, sacerdote e santo desse "culto do amador". Além de seu incansável trabalho em desacreditar a imprensa profissional e dificultar o trabalho dos jornalistas, sua administração tem desde o início se caracterizado por facilitar o trabalho de blogueiros e influenciadores digitais alinhados ao governo[12] e por criar diariamente polêmicas e factoides. Em plena crise de coronavírus, a Secretaria de Comunicação chegou a produzir material oficial a partir de dados de enquetes *on-line* e o divulgou como se fosse estatística com metodologia.[13] O projeto é exatamente esse: pesquisas, dados oficiais, boatos, opiniões de blogueiros, notícias, achismos e teorias da conspiração entram indistintamente no discurso de um presidente da República. Quanto mais ruído, melhor. Não é comum que um chefe de Estado tenha postagens removidas pelo Instagram e Twitter por serem consideradas informação falsa e danosa ao usuário, mas foi o que aconteceu com Jair Bolsonaro. O próprio fundador do Facebook, Mark Zuckerberg, em entrevista sobre políticas mais rigorosas de sua rede social, citou nominalmente o presidente brasileiro como exemplo de conteúdo mentiroso que precisou ser removido.[14] Seria uma vergonha, se não fosse uma estratégia.

No fundo, Jair Bolsonaro é mais um dos mesmos políticos populistas habituais, com a novidade de agora estar falando para um público cego de raiva, rancor e sede de vingança em relação à classe política. É mais um dos muitos "salvadores da pátria" nos quais o brasileiro insiste em votar eleição após eleição, com a novidade de ser alguém que não hesita em usar o nome de Deus como fiador desse salvamento. E sua estratégia eleitoral é a mesma "Lei da Sinceridade" que vende geleias e enxaguantes bucais, com a novidade de ser oferecido por meio da "terra de ninguém" que é a internet.

Jesus Cristo nos alertou sobre os perigos por trás de imagens e discursos pré-fabricados. Ele se refere a "falsos profetas que vêm disfarçados de ovelhas, mas que, na verdade, são lobos esfomeados" (Mt 7.15). Pessoas que estão no meio do povo, que procuram ser reconhecidas como parte do povo, mas cujo objetivo é lesar o povo e tirar proveito dele. Em seu ensino, Jesus nos revela algo de extrema importância: muitas vezes, não há diferença entre o discurso de um falso profeta e o discurso de um verdadeiro; não há diferença entre a propaganda de uma ovelha e a propaganda de um lobo esfomeado. Ambos profetizam em nome do Senhor, ambos expulsam demônios em nome do Senhor, ambos realizam milagres em nome do Senhor (Mt 7.22). Afinal, os falsos profetas têm pesquisadores e publicitários para os aconselharem a dizer e fazer exatamente o que as pessoas querem ouvir e ver. Mas Jesus nos orienta a enxergar para além do discurso. "Vocês os identificarão por seus frutos", ensina. "A árvore boa produz frutos bons, e a árvore ruim produz frutos ruins. A árvore boa não pode produzir frutos ruins e a árvore ruim não pode produzir frutos bons". E conclui: "Portanto, é possível identificar a pessoa por seus frutos" (Mt 7.16-20)

Embora Jair Bolsonaro já estivesse em campanha desde pelo menos 2016 —alguns especialistas notam movimentos desde 2014[15] —, oficialmente o período eleitoral teve início em 16 de agosto de 2018. Como candidato, participou de dois debates televisivos com seus principais oponentes, concedeu algumas entrevistas para emissoras de TV, gravou vídeos para o horário gratuito e concentrou seus esforços na produção e divulgação de conteúdo pela internet. "Nesse período da campanha eleitoral, tudo o que um candidato faz é apenas um produto de *marketing*, desde palestras, reuniões, vídeos no YouTube, debates etc. Tudo é *marketing*", afirmou o jornalista André Pontes, com a experiência de quem trabalhou em sete campanhas majoritárias para presidente da República, governos estaduais, prefeituras e Senado. "Para decidir seu voto, o eleitor precisa pesquisar sobre os candidatos, ver o histórico deles, o passado — não o passado que a propaganda diz, mas o passado mesmo. Como eles atuaram nos cargos que ocuparam antes da eleição, se as propostas condizem com a história deles."[16] André Pontes tem MBA em *marketing* eleitoral pela Universidade de Washington, mas recomenda a mesma coisa que Jesus recomendou a seus seguidores às margens do mar da Galileia: não se deixem seduzir pelo discurso, observem os frutos, estudem o rastro de vida ou o rastro de morte atrás de quem fala.

Vinte e um dias depois de iniciada sua campanha oficial, Jair Bolsonaro sofreu um atentado em Juiz de Fora, Minas Gerais. Só recebeu alta em 29 de setembro, a oito dias para o primeiro turno. Em recuperação, não participou mais de atos públicos, não concedeu mais entrevistas longas, nem participou de debates — incluindo os tradicionais debates entre candidatos do segundo turno. O atentado freou a antipropaganda dos adversários. As denúncias ocasionais que emergiam a respeito de seu passado como deputado e das suspeitas em torno de seus filhos políticos chegavam ao eleitor no mesmo maremoto de fotos do político na mesa de cirurgia, de correntes de oração por sua saúde, de mensagens de apoio de pastores e cantores *gospel*, além das muitas teorias conspiratórias e as justificativas de sempre — de que tudo era *fake news* ou tentativas de desestabilizar sua campanha. Foi assim que nós escolhemos o 38º presidente do Brasil.

A Bíblia nos ensina que o nome disso é fé — não em seu sentido popular, de pensamento positivo, mas na definição bíblica de uma "certeza daquilo que esperamos e a prova das coisas que não vemos" (Hb 11.1, NVI). A adesão incondicional e acrítica de grande parte da igreja evangélica brasileira ao bolsonarismo foi um movimento de fé realizado por gente de fé, com base em coisas que não se viu e em coisas que se esperava que acontecessem.

O *marketing* político — a arte de vestir lobos em pele de ovelha — aprendeu muita coisa a respeito do público evangélico, uma lição que certamente será usada nas próximas eleições. Aprendeu que os evangélicos são muitos, que estão à venda e que seu preço é baixíssimo: basta que o lobo decore alguns versículos, use alguns termos de nosso vocabulário, prestigie nossos encontros e nos receba nos salões retrofuturistas da Praça dos Três Poderes. Aprendeu que os evangélicos são moralistas, mas que seu moralismo é seletivo — ao político que prometer dificultar a vida dos *gays* e dos maconheiros, permitimos que minta, que devaste nossas florestas, que corrompa nossa democracia, que zombe de nossos mortos. Aprendeu que nossos pastores podem ser cabos eleitorais eficientes e obedientes, que podemos espalhar mentiras nos grupos de WhatsApp das igrejas e até boatos nos púlpitos. Aprendeu que podemos trocar a lucidez de Jesus pelo emocionalismo de uma disputa entre personagens públicos baseada na propaganda. Que, em nome de uma ideologia, podemos relativizar a violência e a intimidação contra jornalistas e seus familiares. Aprendeu que podemos diminuir o nome de Deus até que ele caiba numa disputa eleitoral — mesmo que seja uma disputa repleta de raiva, ódio e mentira. Aprendeu que, mais que confundir lobos com ovelhas, a igreja evangélica pode até mesmo se *oferecer* aos lobos famintos.

Em 2017, o TSE divulgou uma série de novas regras que vigorariam a partir das eleições municipais de 2020. Entre novos limites de gastos para as campanhas e regras para doação e propaganda, há uma reforma que proíbe coligações de partidos para a disputa de cargos legislativos proporcionais. É uma tentativa de acabar com a tradicional figura dos "puxadores de voto" — em geral, celebridades que se aventuram na política para arrastar nomes desconhecidos para o legislativo. É uma medida moralizadora, mas com um efeito prático inevitável: os partidos que quiserem (ou puderem) lançar seu próprio candidato ao executivo terão mais chances de produzir votos na legenda e fazer vereadores e deputados. A consequência disso é que, com mais candidatos na disputa, as votações tendem a se tornar cada vez mais pulverizadas. Com mais pulverização, será mais comum candidatos passando para o segundo turno com apenas 10% ou 15% dos votos. Ou seja: veremos prefeitos e presidentes sendo eleitos mesmo com altíssima rejeição, desde que saibam manter uma base fiel, engajada, manipulável, acrítica e disposta a tudo por seus líderes. Num cenário assim, a figura do político que procura agradar a maioria perde espaço para aquele capaz de inflamar e manter cativa a minoria mais *interessante*. Nos Estados Unidos, por exemplo, os evangélicos são, de longe, a fatia demográfica mais presente nas urnas[17] — e, portanto, a mais interessante para os políticos. Neste exato momento, há muita gente no Brasil planejando de que forma os 60 milhões de evangélicos poderão ser, não mais parecidos com Cristo ou mais próximos à Bíblia, mas sim mais apetitosos para as estratégias políticas dos lobos famintos das próximas eleições. Gente em Brasília e, infelizmente, muita gente dentro das nossas igrejas.

"Vocês são verdadeiramente meus discípulos se permanecerem fiéis a meus ensinamentos", diz Jesus. "Então conhecerão a verdade e a verdade os libertará" (Jo 8.31-32). A verdade, ao que parece, é o elo entre os ensinos de Jesus e a nossa liberdade. Talvez seja por isso que há tanto esforço para tumultuar a verdade, confundir a informação, relativizar a mentira, nivelar fato e opinião, conhecimento e ruído, e tanto apelo por nos manter apaixonados, não pela verdade, mas por uma ideologia ou um político, como numa torcida organizada repetindo o grito de guerra nas arquibancadas. "O torcedor real de futebol comemora um gol impedido do seu time e prefere ganhar com gol de mão a perder o campeonato", comparou André Pontes. "A gente não pode levar isso para a política. Primeiro, porque você não pode ter um time. Não pode ter uma paixão na política como tem por seu clube. Não pode achar que, para 'acabar a mamata', vale a pena roubar ou vale a pena acabar com as instituições democráticas."[18] Chegamos a um ponto em que é preciso lembrar: desinformar é errado. Espalhar boatos é errado. Agredir jornalistas é errado. Gol de mão é errado, mesmo quando beneficia nosso time.

Na teoria, parece simples: a paixão nos afasta da verdade; a verdade não pertence a partidos ou ideologias; a verdade nos liberta; a mentira nos aprisiona. Na prática, contudo, existe um problema sério. Nós gostamos de torcer, de confirmar nossos preconceitos, de encontrar mentiras que confirmem as "nossas verdades", de gritar a cada gol de mão na cadeira cativa das nossas torcidas ideológicas. E há milhões de reais circulando pelas redes sociais com o objetivo de nos manter aprisionados,[19] cantando o grito de guerra, abraçados com os que se alinham conosco, rosnando para os "inimigos", convencidos de que a voz dos lobos é a nossa própria voz — até porque eles aprenderam a falar o nosso linguajar.

Escrevendo aos cristãos da Galácia, o apóstolo Paulo trata com muita seriedade dessa espécie de força que nos mantém presos à mentira, nostálgicos dos tempos de escravidão. Assim como os israelitas se amotinaram contra Moisés para retornar ao Egito como escravos, nós simplesmente não queremos administrar a liberdade que Jesus nos oferece. Nosso coração é terrivelmente inclinado a buscar novamente o faraó, o tirano, o guru ou qualquer herói ou sistema humano que assuma nossas responsabilidades e nos mantenha no terreno limitado onde nossas correntes nos permitem circular.

Paulo ensina aos gálatas que, uma vez libertos, precisamos *permanecer* em liberdade. "Foi para a liberdade que Cristo nos libertou", ele escreve. "Portanto, permaneçam firmes e não se deixem submeter novamente a um jugo de escravidão" (Gl 5.1, NVI). Paulo estava se referindo a ritos religiosos que confundiam aqueles novos cristãos, mas podemos usar dessa mesma sabedoria para qualquer ensino que nos aprisione, para qualquer ideologia ou ídolo que nos mantenha cativos, incapazes de olhar para as coisas com independência e distância. "Vocês estavam indo bem na corrida; quem os impediu de seguir a verdade?", pergunta Paulo. "Certamente não foi Deus quem os levou a pensar assim, pois ele os chamou para serem livres" (Gl 5.7-8).

Com certeza não foi Deus que nos acorrentou e que nos mantém cativos. Nós sabemos quem foi.

Os cristãos gálatas ficaram registrados na história como aqueles que tiveram de enfrentar a coerção religiosa a fim de reconquistar sua liberdade. Quem sabe nós, evangélicos brasileiros do início do século 21, sejamos lembrados no futuro como aqueles que precisaram revisitar sua própria relação com o evangelho, com seus líderes e com muitas de suas doutrinas, a fim de romper com as correntes que os aprisionavam. Aqueles que enfrentaram sua própria comodidade a fim de recuperar seu papel profético e cumprir o mandato que Jesus lhes confiou. Aqueles que confrontaram investimentos milionários nas redes sociais para chamar de mentira o que é mentira, para chamar de certo o que é certo e errado o que é errado — mesmo quando a mentira era conveniente ou reforçava suas convicções políticas, religiosas e ideológicas.

Quem sabe nós, evangélicos brasileiros, sejamos lembrados como aqueles que dobraram seus joelhos clamando por discernimento, para nunca mais dar ouvidos ao discurso enganoso de lobos devoradores e para nunca mais ser usados como massa de manobra política. Que oramos para que nunca mais ninguém transforme nossa indignação em raiva, nossa luta por justiça em sede de vingança, nossa luta por voz em sonho de poder, nossas convicções em arrogância.

Para que nunca mais nos escravizem com a mentira, porque foi para a liberdade que Jesus nos chamou.

Quem sabe?

Notas

Capítulo 1
[1] Ver C. S. Lewis, *Cristianismo puro e simples* (Rio de Janeiro: Thomas Nelson, 2017), cap. 1.
[2] Folha de S. Paulo, "Veja a íntegra do discurso de Bolsonaro na ONU com checagens e contextualizações", 25/09/19, <https://www1.folha.uol.com.br/mundo/2019/09/veja-a-integra-do-discurso-de-bolsonaro-na-onu-com-checagens-e-contextualizacoes.shtml>. Todos os acessos em maio de 2020.
[3] Conjur, "OAB-RJ pede cassação de mandato de Bolsonaro por homenagem a Ustra", 25/04/16, <https://www.conjur.com.br/2016-abr-25/oab-rj-cassacao-mandato-bolsonaro-homenagem-ustra>.
[4] Câmara dos Deputados, discurso em 03/05/16, <https://www2.camara.leg.br/atividade-legislativa/discursos-e-notas-taquigraficas>.
[5] G1, "'Pós-verdade' é eleita a palavra do ano pelo Dicionário Oxford", 16/11/16, <https://g1.globo.com/educacao/noticia/pos-verdade-e-eleita-a-palavra-do-ano-pelo-dicionario-oxford.ghtml>.
[6] Zep e Hélène Bruller, *Aparelho sexual e cia.: Um guia inusitado para crianças escoladas* (São Paulo: Seguinte/Cia. das Letras, 2007).
[7] El País, "Bolsonaro mentiu ao falar de livro de educação sexual no Jornal Nacional", 29/08/18, <https://brasil.elpais.com/brasil/2018/08/29/politica/1535564207_054097.html>.
[8] Canal Mamaefalei, "Jair Bolsonaro – Jornal Nacional", 29/08/18, <https://www.youtube.com/watch?v=m4XyZq5Tw3Q&feature=youtu.be&a=>.
[9] Marcos Ribeiro, *Sexo não é bicho-papão* (Rio de Janeiro: Zit, 2008).
[10] Canal Eduardo Bolsonaro, "Eduardo Bolsonaro mostra livro apresentado por Jair B. no jornal nacional em biblioteca", 05/09/18, <https://www.youtube.com/watch?v=MI_HIHyanL8>.
[11] Blog da Companhia, "Quem tem medo de falar sobre sexo?", 29/08/18, <http://www.blogdacompanhia.com.br/conteudos/visualizar/Quem-tem-medo-de-falar-sobre-sexo>.
[12] O Globo, "É #FAKE que livro citado por Bolsonaro no JN seja de escola em Maceió", 05/09/18, <https://valor.globo.com/fato-ou-fake/noticia/2018/09/05/e-fake-que-livro-citado-por-bolsonaro-no-jn-seja-de-escola-em-maceio.ghtml>.

¹³ Estadão, "Cerca de 75% dos brasileiros jamais pisaram em uma biblioteca, diz estudo", 27/03/12, <https://educacao.estadao.com.br/noticias/geral,cerca-de-75-dos-brasileiros-jamais-pisaram-em-uma-biblioteca-diz-estudo,854168>.
¹⁴ Correio Braziliense, "Bolsonaro responde Haddad nas redes", 14/10/18, <https://www.correiobraziliense.com.br/app/noticia/politica/2018/10/14/interna_politica,712626/bolsonaro-responde-haddad-nas-redes.shtml>.
¹⁵ Folha de S. Paulo, "'Quem deu informação equivocada foi o compositor torturado', diz Haddad sobre acusação contra Mourão", 23/10/18, <https://www1.folha.uol.com.br/poder/2018/10/quem-deu-informacao-equivocada-foi-o-compositor-torturado-diz-haddad-sobre-acusacao-contra-mourao.shtml>.
¹⁶ Eliane Brum, El País, "Bolsonaro e a autoverdade", 16/07/18, <https://brasil.elpais.com/brasil/2018/07/16/politica/1531751001_113905.html>.

Capítulo 2
¹ UOL, "STF condena deputado Paulo Maluf por lavagem de dinheiro", 23/05/17, <https://noticias.uol.com.br/politica/ultimas-noticias/2017/05/23/stf-condena-deputado-paulo-maluf-por-lavagem-de-dinheiro.htm>.
² O Globo, "Paulo Maluf entra para a lista de procurados da Interpol", 19/03/10, <https://oglobo.globo.com/politica/paulo-maluf-entra-para-lista-de-procurados-da-interpol-3036666>.
³ "Khrushchev's Secret Speech, 'On the Cult of Personality and Its Consequences,' Delivered at the Twentieth Party Congress of the Communist Party of the Soviet Union" (25.2.1956), in Digital Archive Wilson Center, <https://digitalarchive.wilsoncenter.org/document/115995>.
⁴ O Globo, "'Precisa ter prova disso daí?', diz Bolsonaro sobre acusação a médicos cubanos", 16/08/19, <https://oglobo.globo.com/brasil/precisa-ter-prova-disso-dai-diz-bolsonaro-sobre-acusacao-medicos-cubanos-23882202>.
⁵ O Globo, "Bolsonaro diz que ONGs podem ser responsáveis por queimadas na Amazônia", 21/08/19, <https://oglobo.globo.com/sociedade/bolsonaro-diz-que-ongs-podem-ser-responsaveis-por-queimadas-na-amazonia-23891984>.
⁶ UOL, "Bolsonaro abandona entrevista em pergunta sobre crítica de Celso de Melo", 29/10/19, <https://noticias.uol.com.br/politica/ultimas-

noticias/2019/10/29/bolsonaro-abandona-entrevista-em-pergunta-sobre-critica-dLe-celso-de-melo.htm>.

[7] Folha de S. Paulo, "Bolsonaro encerra entrevista ao ser questionado sobre situação de Moro", 11/06/19, <https://www1.folha.uol.com.br/poder/2019/06/bolsonaro-encerra-entrevista-ao-ser-questionado-sobre-situacao-de-moro.shtml>.

[8] Veja, "Bolsonaro finaliza coletiva após pergunta sobre carona em helicóptero", 27/07/19, <https://veja.abril.com.br/brasil/bolsonaro-finaliza-coletiva-apos-pergunta-sobre-carona-em-helicoptero/>.

[9] O Globo, "Bolsonaro diz que entrevista a jornalistas 'depende da pergunta' e se nega a falar do PSL", 08/10/19, <https://oglobo.globo.com/brasil/bolsonaro-diz-que-entrevista-jornalistas-depende-da-pergunta-se-nega-falar-do-psl-24004967>.

[10] Folha de S. Paulo, "'Você está falando da tua mãe?', responde Bolsonaro sobre contratos de chefe da SECOM", 16/10/20, <https://www1.folha.uol.com.br/poder/2020/01/voce-esta-falando-da-tua-mae-responde-bolsonaro-sobre-contratos-de-chefe-da-secom.shtml>.

[11] GloboNews, Central das Eleições 2018, 03/08/18, <https://globosatplay.globo.com/assistir/c/p/v/6921428/>.

[12] Portal Guia-me, "'Deus agiu e desviou faca', diz filho de Jair Bolsonaro após ataque", 06/09/18, <https://guiame.com.br/gospel/noticias/deus-agiu-e-desviou-faca-diz-filho-de-jair-bolsonaro-apos-ataque.html>.

[13] Blog Lauro Jardim, O Globo, "Pastores difundem ideia de que Bolsonaro sobreviveu por obra divina", 21/09/18, <https://blogs.oglobo.globo.com/lauro-jardim/post/pastores-difundem-ideia-de-que-bolsonaro-sobreviveu-por-obra-divina.html>.

[14] Canal Magno Malta, "Oração de Magno Malta na Vitória de Jair Bolsonaro – O Brasil mudou", 29/10/18, <https://www.youtube.com/watch?v=ixUfHHJnMjo>.

[15] La Nación, "Jair Bolsonaro: 'Yo tengo una mision de Dios, lo veo de esa manera'", 01/06/19, <https://www.lanacion.com.ar/el-mundo/yo-tengo-una-mision-de-dios-lo-veo-de-esa-manera-nid2253617>.

Capítulo 3

[1] Francisco Catão, *O que é teologia da libertação* (São Paulo: Nova Cultural Brasiliense, 1986), p. 44.

[2] Octávio Ginez de Almeida Bueno, Portal Jus, "O casamento homoafetivo e a Resolução nº 175/2013 do Conselho Nacional de Justiça: efetivação dos direitos da pessoa humana", 05/13, <https://jus.com.br/

artigos/24504/o-casamento-homoafetivo-e-a-resolucao-n-175-2013-do-conselho-nacional-de-justica-efetivacao-dos-direitos-da-pessoa-humana>.

[3] Asad Heider, *Armadilha da identidade: Raça e classe nos dias de hoje* (São Paulo: Veneta, 2019).

[4] Carta Capital, "'Políticas identitárias atuais não mudam estrutura social', diz autor", 31/07/19, <https://www.cartacapital.com.br/diversidade/politicas-identitarias-atuais-nao-mudam-estrutura-social-diz-autor/>.

[5] Antonio Risério, *Sobre o relativismo pós-moderno e a fantasia fascista da esquerda identitária* (Rio de Janeiro: Topbooks, 2019).

[6] Blog do Luciano Trigo, G1, "Em livro polêmico, Antonio Risério, ataca o 'fascimo identitário'", 11/11/19, <https://g1.globo.com/pop-arte/blog/luciano-trigo/post/2019/11/11/em-livro-polemico-antonio-riserio-ataca-o-fascismo-identitario.ghtml>.

[7] Olavo de Carvalho, "Do marxismo cultural", publicado originalmente em O Globo, 08/06/02, <https://olavodecarvalho.org/do-marxismo-cultural/>.

[8] Ver Luiz Maklouf Carvalho, *O cadete e o capitão: A vida de Jair Bolsonaro no quartel* (São Paulo: Todavia, 2019), p. 11.

[9] BBC Brasil, "Como o discurso de Bolsonaro mudou ao longo de 27 anos na Câmara?", 07/12/17, <https://www.bbc.com/portuguese/brasil-42231485>.

[10] Site oficial da igreja Assembleia de Deus Vitória em Cristo, <https://www.advec.org/pastor-silas-malafaia>.

[11] Citado em Época, "Como Bolsonaro se tornou candidato dos evangélicos", 06/10/18, <https://epoca.globo.com/como-bolsonaro-se-tornou-candidato-dos-evangelicos-23126650>.

[12] Idem.

[13] UOL, "Jean Wyllys cospe em Bolsonaro e diz que faria de novo", 17/04/16, <https://noticias.uol.com.br/politica/ultimas-noticias/2016/04/17/jean-wyllys-cospe-em-bolsonaro-e-diz-que-faria-de-novo.htm>.

[14] O Globo, "É #FAKE que Haddad criou 'kit gay' e que Câmara realizou seminário LGBT infantil", 29/10/18, <https://oglobo.globo.com/fato-ou-fake/e-fake-que-haddad-criou-kit-gay-que-camara-realizou-seminario-lgbt-infantil-23197396>.

[15] Extra, "Enquanto votação do impeachment acontecia, Bolsonaro era batizado em Israel", 12/05/16, <https://extra.globo.com/noticias/brasil/enquanto-votacao-do-impeachment-acontecia-bolsonaro-era-batizado-em-israel-19287802.html>.

[16] G1, "Jean Wyllys critica 'fundamentalismo religioso' durante parada gay no RS", 28/06/15, <http://g1.globo.com/rs/rio-grande-do-sul/

noticia/2015/06/jean-wyllys-critica-fundamentalismo-religioso-durante-parada-gay-no-rs.html>.

[17] Canal Primeira Igreja Presbiteriana de Vitória, "A oração sacerdotal de Jesus", 08/01/18, <https://www.youtube.com/watch?v=XBnekHtv0Pk>.

[18] Agostinho, *Confissões* (São Paulo: Mundo Cristão, 2017), p. 217.

[19] *A Instituição da Religião Cristã*, Tomo II (São Paulo: Editora Unesp, 2008), livro 2, cap. 15.

[20] A. J. Macleod, in F. Davidson (org.), *O Novo Comentário da Bíblia* (São Paulo: Vida Nova, 2018), p. 1094.

Capítulo 4

[1] Eduardo Bueno, Zero Hora, "O homem que menosprezou um vírus e acabou derrubado", 26/03/20, <https://gauchazh.clicrbs.com.br/colunistas/eduardo-bueno/noticia/2020/03/o-homem-que-menosprezou-um-virus-e-acabou-sendo-derrubado-ck8948t7d020801rz2lr0pms8.html>.

[2] Ver Época, "O papel da imprensa e o papelão do presidente", 09/08/19, <https://epoca.globo.com/brasil/o-papel-da-imprensa-o-papelao-do-presidente-23865698>.

[3] Veja, "O artigo em Veja e a prisão de Bolsonaro nos anos 1980", 15/05/17, <https://veja.abril.com.br/blog/reveja/o-artigo-em-veja-e-a-prisao-de-bolsonaro-nos-anos-1980/>.

[4] Estadão, "Famílias de militares protestam em Brasília", 28/04/92.

[5] Folha de S. Paulo, "Osborne 'não entende nada de Brasil', diz Bresser a deputados", 24/03/95.

[6] Folha de S. Paulo, "Bolsonaro ataca d. Paulo em plenário", 20/03/98, <https://www1.folha.uol.com.br/fsp/brasil/fc20039828.htm>.

[7] Folha de S. Paulo, "Comissão defende picaretas, diz deputado", 13/03/98, <https://www1.folha.uol.com.br/fsp/brasil/fc13039819.htm>.

[8] Canal Informa Brasil TV, "Bolsonaro no 'Túnel do Tempo' (23/05/1999)", 01/04/16, <https://www.youtube.com/watch?v=bilC0IRy-Lg>.

[9] Folha de S. Paulo, "Apoio de FHC à causa gay causa protestos", 19/05/02, <https://www1.folha.uol.com.br/fsp/cotidian/ff1905200210.htm>.

[10] Estadão, "PT vai pedir punição de Bolsonaro por ofensa a Lula", 24/06/05.

[11] G1, "Bolsonaro pede a Dilma para assumir 'se gosta de homossexual'", 24/11/11, <http://g1.globo.com/politica/noticia/2011/11/bolsonaro-pede-dilma-para-assumir-se-gosta-de-homossexual.html>.

[12] Pragmatismo Político, "Estudo mostra que quem criou Jair Bolsonaro foi a grande mídia", 03/10/18, <https://www.pragmatismopolitico.com.br/2018/10/estudo-quem-criou-jair-bolsonaro-midia.html>.

[13] Canal Love Treta com Rafael Cortez, "Monica Iozzi: CQC, Política e Carreira", 03/04/18, <https://www.youtube.com/watch?v=dWzQbtTvE6s>.

[14] Blog Felipe Moura Brasil, Veja, "Vídeo: Jean Wyllys foge de Jair Bolsonaro em avião. 'Heterobofobia'?", 11/02/15, <https://veja.abril.com.br/blog/felipe-moura-brasil/video-jean-wyllys-foge-de-jair-bolsonaro-em-aviao-8220-heterofobia-8221/>.

[15] *Get Me, Roger Stone*, dirigido por Daniel DiMauro, Morgan Pehme e Dylan Bank (EUA, 2017).

[16] Paulo Cesar de Araújo, *Roberto Carlos em detalhes* (São Paulo: Planeta, 2006).

[17] G1, "Editora aceita recolher livro de Roberto Carlos, que desiste de indenização", 27/4/07, <http://g1.globo.com/Noticias/SaoPaulo/0,,MUL282 32-5605-308,00.html>.

[18] Jan V. White, *Edição e design* (São Paulo: JSN, 2006), p. 75.

[19] Valor, "Bolsonaro diz que demissão de Vélez é 'fake news'", 27/03/19, <https://valor.globo.com/politica/noticia/2019/03/27/bolsonaro-diz-que-demissao-de-velez-e-fake-news.ghtml>.

[20] Agência Lupa, "64,5% das vezes em que Bolsonaro fala em 'fake news' são ataques à imprensa", 23/12/2019, <https://piaui.folha.uol.com.br/lupa/2019/12/23/bolsonaro-fake-news-imprensa/>.

[21] Fenaj, 02/01/20, "Linha do tempo de ataques", <https://fenaj.org.br/wp-content/uploads/2020/01/LINHA-DO-TEMPO-ATAQUES-jan-dez-2019.pdf>.

[22] The Guardian, "Brazil expels New York Times reporter for offensive story", 13/05/04, <https://www.theguardian.com/media/2004/may/13/pressandpublishing.brazil>.

[23] Observatório da Imprensa, "Destaque para ameaça de mordaça", 18/01/06, <http://www.observatoriodaimprensa.com.br/entre-aspas/destaque-para-ameaca-de-mordaca/>.

[24] Estadão, "Lula diz que PT não se negou a assinar Constituição", 29/10/13, <https://politica.estadao.com.br/noticias/geral,lula-diz-que-pt-nao-se-negou-a-assinar-constituicao,1091008>.

[25] UOL, "Lula: PT deve olhar evangélico e periferia", 26/01/20, <https://noticias.uol.com.br/politica/ultimas-noticias/2020/01/26/lula-podcast.htm>.

[26] Rob Bell, *O amor vence: Um livro sobre céu, o inferno, e o destino de todas as pessoas que já passaram pela terra* (Rio de Janeiro: Sextante, 2012), p. 43.

[27] Transparency International, "Índice da percepção da corrupção 2018", 29/01/19, <https://www.transparency.org/en/press/indice-de-percepcao-da-corrupcao-2018>.

[28] Agência Ansa, "Para Erdogan, não pode haver democracia com imprensa", 04/10/18, <http://ansabrasil.com.br/brasil/noticias/mundo/noticias/2018/10/04/para-erdogan-nao-pode-haver-democracia-com-a-imprensa_0fdb9a8c-37a8-4c79-a71d-23a5828d4423.html>.

[29] The Intercept Brasil, "Assessora de Sérgio Moro por seis anos fala sobre a Lava Jato", 30/10/18, <https://theintercept.com/2018/10/29/lava-jato-imprensa-entrevista-assessora/>.

[30] Congresso em Foco, "Lula: 'Nova ou dez famílias dominam comunicação'", 23/10/10, <https://congressoemfoco.uol.com.br/especial/noticias/lula-nove-ou-dez-familias-dominam-comunicacao/>.

[31] G1, "Sócio da Yacows diz que empresa fez disparos em massa para Bolsonaro, Haddad e Meirelles", 19/02/20, <https://g1.globo.com/politica/noticia/2020/02/19/socio-da-yacows-diz-que-empresa-fez-disparos-em-massa-para-bolsonaro-haddad-e-meirelles.ghtml>.

[32] Poder 360, "43% dos eleitores se informam pela internet e 37% pela TV, diz pesquisa", 01/08/18, <https://www.poder360.com.br/pesquisas/43-dos-eleitores-se-informam-pela-internet-e-37-pela-tv-diz-pesquisa/>.

[33] Agência Lupa, "O (in)acreditável mundo do WhatsApp", 17/10/18, <https://piaui.folha.uol.com.br/lupa/2018/10/17/whatsapp-lupa-usp-ufmg-imagens/>.

[34] Valor, "Bolsonaro classifica Democracia em vertigem como 'porcaria' e 'ficção'", 14/01/20, <https://valor.globo.com/politica/noticia/2020/01/14/bolsonaro-classifica-democracia-em-vertigem-como-porcaria-e-ficcao.ghtml>.

[35] Folha de S. Paulo, "Após repercussão negativa, Bolsonaro apaga vídeo de 'golden shower'", 21/03/19, <https://www1.folha.uol.com.br/poder/2019/03/apos-repercussao-negativa-bolsonaro-apaga-video-de-golden-shower.shtml>.

[36] Folha de S. Paulo, "Bolsonaro ganha mais apoio com ataques e críticas em seus tuítes", 01/04/19, <https://www1.folha.uol.com.br/poder/2019/04/bolsonaro-ganha-mais-apoio-com-ataques-e-criticas-em-seus-tuites.shtml>.

[37] Gazeta do Povo, "Bolsonaro dá banana a jornalistas", 08/02/20, <https://www.gazetadopovo.com.br/republica/breves/bolsonaro-da-banana-a-jornalistas/>.

[38] Folha de S. Paulo, "'Você está falando da tua mãe?', responde Bolsonaro sobre contratos de chefe da SECOM", 16/01/20, <https://www1.folha.

uol.com.br/poder/2020/01/voce-esta-falando-da-tua-mae-responde-bolsonaro-sobre-contratos-de-chefe-da-secom.shtml>.

[39] O Globo, "20/12/19, "'Você tem uma cara de homossexual terrível. Nem por isso te acuso', reage Bolsonaro sobre caso Flávio", <https://oglobo.globo.com/brasil/voce-tem-uma-cara-de-homossexual-terrivel-nem-por-isso-te-acuso-reage-bolsonaro-sobre-caso-flavio-2-24150705>.

[40] Correio Braziliense, "Bolsonaro sobre repórter da Folha: 'Ela queria dar um furo', jornal reage", 18/02/20, <https://www.correiobraziliense.com.br/app/noticia/politica/2020/02/18/interna_politica,828834/bolsonaro-sobre-reporter-da-folha-ela-queria-dar-um-furo-jornal-reage.shtml>.

[41] Gazeta do Povo, "Bolsonaro envia humorista para atender jornalistas na saída do Alvorada", 04/03/20, <https://www.gazetadopovo.com.br/republica/breves/bolsonaro-envia-humorista-para-atender-jornalistas-na-saida-do-alvorada/>.

Capítulo 5

[1] Transparência Internacional, "Índice de percepção da corrupção 2018", 29/01/19, <https://www.transparency.org/news/pressrelease/indice_de_percepcao_da_corrupcao_2018>.

[2] Folha de S. Paulo, "Pesquisa mostra que 83% estão insatisfeitos com democracia no Brasil", 29/04/19, <https://www1.folha.uol.com.br/mundo/2019/04/pesquisa-mostra-que-83-estao-insatisfeitos-com-democracia-no-brasil.shtml>.

[3] Congresso em Foco, "Jair Bolsonaro é eleito presidente do Brasil", 28/10/18, <https://congressoemfoco.uol.com.br/eleicoes/jair-bolsonaro-e-eleito-presidente-do-brasil/>.

[4] UOL, "CNT/MDA: Avaliação positiva do governo Bolsonaro sobe para 34,5%", 22/01/20, <https://noticias.uol.com.br/politica/ultimas-noticias/2020/01/22/pesquisa-cntmda-governo-bolsonaro.htm>.

[5] Folha de S. Paulo, "Brasil está sendo salvo pelas qualidades de deputados e senadores", 03/02/20, <https://www1.folha.uol.com.br/colunas/celso-rocha-de-barros/2020/02/brasil-esta-sendo-salvo-pelas-qualidades-de-deputados-e-senadores.shtml>.

[6] Folha de S. Paulo, "Bolsonaro nega ditadura e diz que regime viveu probleminhas", 27/03/19, <https://www1.folha.uol.com.br/poder/2019/03/nao-houve-ditadura-teve-uns-probleminhas-diz-bolsonaro-sobre-regime-militar-no-pais.shtml>.

[7] Paraíba Online, "Bolsonaro discursa em Campina: 'a minoria tem que se curvar para a maioria'", 08/02/17, <https://paraibaonline.com.

br/2017/02/bolsonaro-discursa-em-campina-a-minoria-tem-que-se-curvar-para-a-maioria/>.

[8] Correio Braziliense, "Bolsonaro dispara vídeo convocando para ato contra o Congresso e o STF", 25/02/20, <https://www.correiobraziliense.com.br/app/noticia/politica/2020/02/25/interna_politica,830444/bolsonaro-dispara-video-convocando-para-ato-contra-o-congresso-e-o-stf.shtml>.

[9] Folha de S. Paulo, "Em Cuba, Lula diz que Fidel foi o 'maior homem do século 20'", 03/12/16, <https://www1.folha.uol.com.br/mundo/2016/12/1838296-em-cuba-lula-diz-que-fidel-foi-o-maior-homem-do-seculo-20.shtml>.

[10] Estadão, "PT anuncia que boicotará posse de Bolsonaro no Congresso", 28/12/18, <https://politica.estadao.com.br/noticias/geral,pt-anuncia-que-boicotara-posse-de-bolsonaro-no-congresso,70002660169>.

[11] Estadão, "PT e PCdoB participam de posse de Maduro em Caracas", 10/01/19, <https://internacional.estadao.com.br/noticias/geral,gleisi-diz-reconhecer-eleicao-de-maduro-e-participa-da-posse-em-caracas,70002674585>.

[12] Folha de S. Paulo, "Nos anos 90, Bolsonaro defendeu novo golpe militar e guerra", 03/06/18, <https://www1.folha.uol.com.br/poder/2018/06/nos-anos-90-bolsonaro-defendeu-novo-golpe-militar-e-guerra.shtml>.

[13] O Globo, "'Brasil' e 'Deus' são as palavras que mais aparecem nos discursos de Bolsonaro", 29/09/19, <https://oglobo.globo.com/brasil/brasil-deus-sao-as-palavras-que-mais-aparecem-nos-discursos-de-bolsonaro-23982333>.

[14] UOL, "1º presidente na Marcha para Jesus, Bolsonaro agradece eleitor evangélico", 20/06/19, <https://noticias.uol.com.br/cotidiano/ultimas-noticias/2019/06/20/jair-bolsonaro-marcha-para-jesus.htm>.

[15] Ver, p. ex., Canal Silas Malafaia Oficial, "O cristão e a política", 17/09/16, <https://www.youtube.com/watch?v=Oshgyi-0hO0>.

[16] El País, "Um ministro 'terrivelmente evangélico' a caminho do Supremo Tribunal Federal", 10/07/19, <https://brasil.elpais.com/brasil/2019/07/10/politica/1562786946_406680.html>.

[17] Veja, "'Serão exibidas cenas de nudez?', pergunta edital do BB para filmes", 13/08/19, <https://veja.abril.com.br/entretenimento/serao-exibidas-cenas-de-nudez-pergunta-edital-do-bb-para-filmes/>.

[18] Canal Diário da Região, "Oração de Magno Malta e discurso oficial do presidente Jair Bolsonaro", 29/10/18, <https://www.youtube.com/watch?v=1qFi6pru4Gw>.

[19] Folha de S. Paulo, "Sem diploma, Damares já se apresentou como mestre em educação e direito", 31/01/19, <https://www1.folha.uol.com.br/poder/2019/01/sem-diploma-damares-ja-se-apresentou-como-mestre-em-educacao-e-direito.shtml>.

[20] Valor, "Moro e Guedes são mais populares que Bolsonaro, mostra Datafolha", 09/12/19, <https://valor.globo.com/politica/noticia/2019/12/09/moro-damares-e-guedes-sao-mais-populares-que-bolsonaro-mostra-datafolha.ghtml>.

[21] Folha de S. Paulo, "Principais referências feitas no discurso do chanceler Ernesto Araújo", 03/01/19, <https://www1.folha.uol.com.br/mundo/2019/01/principais-referencias-feitas-no-discurso-do-chanceler-ernesto-araujo.shtml>.

[22] Coluna Jamil Chade, UOL, "Relatora da ONU pede que Bolsonaro desista de pastor evangélico na Funai", 05/02/20, <https://noticias.uol.com.br/colunas/jamil-chade/2020/02/05/relatora-da-onu-pede-que-bolsonaro-desista-de-pastor-evangelico-na-funai.ht/>.

[23] Folha de S. Paulo, "Roberto Alvim diz desconfiar de 'ação satânica' por trás de vídeo e de sua demissão", 20/01/20, <https://www1.folha.uol.com.br/ilustrada/2020/01/roberto-alvim-diz-desconfiar-de-acao-satanica-por-tras-de-video-e-de-sua-demissao.shtml.>

[24] Gospel +, "'Bolsonaro é o rei Davi que está enfrentando Golias', diz Abraham Weintraub sobre o MEC", 23/10/19, <https://noticias.gospelmais.com.br/abraham-weintraub-bolsonaro-rei-davi-contra-golias-124775.html>.

[25] UOL, "Em discurso, chanceler compara Bolsonaro a Jesus Cristo", 03/05/19, <https://noticias.uol.com.br/ultimas-noticias/agencia-estado/2019/05/03/em-discurso-chanceler-compara-bolsonaro-a-jesus-cristo.htm>.

[26] Canal Glória a Deuxs, "Silas Malafaia: 'Deus escolheu as coisas loucas' (Bolsonaro)", 25/11/18, <https://www.youtube.com/watch?v=kslj3BU1bnA>.

[27] Ed René Kivitz, "Igreja: essência e forma", pregação de 01/03/09, <http://bbcst.net/A3347M>.

[28] Veja, "EXCLUSIVO: Os áudios que desmentem o presidente", 19/02/19, <https://veja.abril.com.br/politica/audios-bolsonaro-bebianno-whatsapp/>.

[29] Veja, "Gustavo Bebianno: o faixa-preta de alma gentil", 20/03/20, <https://veja.abril.com.br/brasil/gustavo-bebianno-o-faixa-preta-de-alma-gentil/>.

[30] O Globo, "Alexandre Frota é expulso do PSL após críticas a Bolsonaro", 13/08/19, <https://oglobo.globo.com/brasil/alexandre-frota-expulso-do-psl-apos-criticas-bolsonaro-23873965>.
[31] IstoÉ, "Malafaia aparece em áudio criticando Bolsonaro: 'Estou decepcionado'",17/11/19, <https://istoe.com.br/malafaia-aparece-em-audio-criticando-bolsonaro-estou-decepcionado/>.
[32] Época, "'Bolsonaro não tinha obrigação de me dar emprego', diz Magno Malta", 20/06/19, <https://epoca.globo.com/bolsonaro-nao-tinha-obrigacao-de-me-dar-emprego-diz-magno-malta-23754151>.

Capítulo 6

[1] John R. W. Stott, *A mensagem do Sermão do Monte: Contracultura Cristã*, 3ª ed. (São Paulo: ABU Editora), p. 1
[2] Idem, p. 3
[3] Idem, p. x.
[4] Idem, p. 29.
[5] G1, "Número de usuários brasileiros no Facebook cresce 298% em 2011", 05/01/12, <http://g1.globo.com/tecnologia/noticia/2012/01/numero-de-usuarios-brasileiros-no-facebook-cresce-298-em-2011.html>.
[6] Folha de S. Paulo, "Facebook chega a 127 milhões de usuários mensais no Brasil", 19/07/18, <https://www1.folha.uol.com.br/tec/2018/07/facebook-chega-a-127-milhoes-de-usuarios-mensais-no-brasil.shtml>.
[7] Tecmundo, "Brasil é o terceiro país com mais usuários no Facebook", 27/02/19, <https://www.tecmundo.com.br/redes-sociais/139130-brasil-terceiro-pais-usuarios-facebook.htm>.
[8] F5/Folha, "Brasil é 2º em ranking de países que passam mais tempo em redes sociais",06/09/19,<https://f5.folha.uol.com.br/nerdices/2019/09/brasil-e-2o-em-ranking-de-paises-que-passam-mais-tempo-em-redes-sociais.shtml>.
[9] Números checados em 07/05/20.
[10] BBC Brasil, "Polêmicas turbinam público de Bolsonaro nas redes, mas 'sentimento negativo' sobre presidente aumenta", 09/09/19, <https://www.bbc.com/portuguese/brasil-49639813>.
[11] Poder 360, "Redes de Bolsonaro crescem 43% em 2019 e somam 731,4 milhões de interações", 20/01/20, <https://www.poder360.com.br/midia/redes-de-bolsonaro-crescem-43-em-2019-e-somam-7314-milhoes-de-interacoes/>.
[12] O Globo, "Justiça determina que Bolsonaro pague indenização a Maria do Rosário em até 15 dias", 23/05/19, <https://oglobo.globo.com/

brasil/justica-determina-que-bolsonaro-pague-indenizacao-maria-do-rosario-em-ate-15-dias-23689618>.

[13] Ver Rui Fan, Jichang Zhao, Yan Chen, Ke Xu, "Anger is more influential than Joy: Sentiment Correlation in Weibo", PLOS ONE, 15/10/14, <https://journals.plos.org/plosone/article?id=10.1371/journal.pone.0110184>.

[14] William Brady, Jay Van Bavel, et al. "Emotion Shapes the Difusion of Moralized Content in Social Media", PNAS, 23/05/17, <pnas.org/content/114/28/7313>.

[15] Harri Jalonen, "Negative Emotions in social media as managerial challenge", ResearchGate, 14/11/14, <https://www.researchgate.net/publication/268744247_Negative_emotions_in_social_media_as_a_managerial_challenge>.

[16] Brasil Sem Medo, "Alfabetizar o Brasil é possível", 27/02/20, <https://brasilsemmedo.com/alfabetizar-o-brasil-e-possivel/>.

[17] G1, "'Inventaram gabinete do ódio e alguns idiotas acreditaram', diz Bolsonaro sobre CPMI", 04/12/19, <https://g1.globo.com/politica/noticia/2019/12/04/inventaram-gabinete-do-odio-e-alguns-idiotas-acreditaram-diz-bolsonaro-sobre-cpmi.ghtml>.

[18] Martin Lloyd-Jones, *Estudos no Sermão do Monte* (São José dos Campos, SP: Fiel, 1999), p. 115-116.

[19] Ver, p. ex., Eliane Castanhêde, "Guerra entre petismo e antipetismo", Estadão, 19/09/18, <https://politica.estadao.com.br/noticias/eleicoes,analise-guerra-entre-petismo-e-antipetismo,70002508740>; Fernando Martins, "Bolsonaro e Haddad vão disputar o segundo turno", Gazeta do Povo, 07/10/18, <https://especiais.gazetadopovo.com.br/eleicoes/2018/bolsonaro-e-haddad-vao-disputar-o-2-o-turno/>.

[20] G1, "Sócio da Yacows diz que empresa fez disparos em massa para Bolsonaro, Haddad e Meirelles", 19/02/20, <https://g1.globo.com/politica/noticia/2020/02/19/socio-da-yacows-diz-que-empresa-fez-disparos-em-massa-para-bolsonaro-haddad-e-meirelles.ghtml>.

Capítulo 7
[1] Canal Bispo Edir Macedo, "Bispo Edir Macedo apresenta a vida de Jair Bolsonaro a Deus", 01/09/19, <https://www.youtube.com/watch?v=7LW5ehyaCnI>.

[2] Gospel +, "Vídeo de Silas Malafaia dizendo que fiéis não devem denunciar pastores ladrões se torna viral nas redes sociais", 31/07/13, <https://noticias.gospelmais.com.br/video-malafaia-fieis-nao-denunciar-pastores-ladroes-58938.html>.

³ Canal prlucinho, "Não toque no ungido do Senhor", 04/09/19, <https://www.youtube.com/watch?v=spXXw7KVs_o>.
⁴ Augustus Nicodemus, *Polêmicas na Igreja: Doutrinas, práticas e movimentos que enfraquecem o cristianismo* (São Paulo: Mundo Cristão, 2015), p. 33.
⁵ Datafolha, "Reprovação a Bolsonaro alcança 43% e aprovação fica estável", 28/05/20, <http://datafolha.folha.uol.com.br/opiniaopublica/2020/05/1988731-reprovacao-a-bolsonaro-sobe-atinge-43-aprovacao-fica-estavel.shtml>.
⁶ Ver Jacques Ellul, *Anarquia e cristianismo* (São Paulo: Garimpo, 2010), p. 88-90.

Capítulo 8
¹ Roberto Pompeu de Toledo, "O tempo da polarização tóxica", Veja, 26/12/18,<https://veja.abril.com.br/politica/o-tempo-da-polarizacao-toxica/>.
² Estadão, "Redes sociais formam 'bolhas políticas'", 26/03/17, <https://link.estadao.com.br/noticias/geral,redes-sociais-formam-bolhas-politicas,10000023302>.
³ The Conversation, "Mapping Brazil's political polarization online", 03/08/18, <https://theconversation.com/mapping-brazils-political-polarization-online-96434>.
⁴ Canal UM Brasil, "À direita ou à esquerda, populistas rejeitam ideais democráticos", 13/03/20, <https://www.youtube.com/watch?v=yUDDTADb4s8>.
⁵ *Privacidade hackeada*, documentário de Karin Amer e Jehane Noujaim (EUA, 2019).
⁶ Veja, "Concentração de renda no país é recorde em 2018, aponta IBGE", 16/10/19, <https://veja.abril.com.br/economia/concentracao-de-renda-no-pais-e-recorde-em-2018-aponta-ibge/>.
⁷ Vatican News, "Papa na mensagem de Páscoa: deixar-se contagiar pela esperança de Cristo", 12/04/17, <https://www.vaticannews.va/pt/papa/news/2020-04/papa-francisco-mensagem-pascoa-contagio-esperanca-coronavirus.html>.
⁸ Canal Dois Dedos de Teologia, "Os bastiões da direita evangélica", 08/10/18, <https://www.youtube.com/watch?v=NXVOffz7uM8>.
⁹ Canal Glocal SP, "Sabatina com Ed René Kivitz", 24/08/18, <https://www.youtube.com/watch?v=yPL-Lj8IyZQ>.
¹⁰ Timothy Keller, The New York Times, "How Do Christians Fit Into the Two-Party System? They Don't", 29/09/18, <https://www.nytimes.com/2018/09/29/opinion/sunday/christians-politics-belief.html>.

Capítulo 9

[1] Canal LeHuffPost, "Macron, discours du 16 mars 2020", 16/06/20, <https://www.youtube.com/watch?v=mhklV9uOvTQ>.

[2] BBC Brasil, "Coronavírus: o que as grandes economias do mundo estão fazendo para evitar falências e a falta de dinheiro", 21/03/20, <https://www.bbc.com/portuguese/internacional-51983863>.

[3] UOL, "PIB desacelera no primeiro ano de Bolsonaro, cresce 1,1% e fica no nível de 2013", 04/03/20, <https://economia.uol.com.br/noticias/redacao/2020/03/04/pib-2019-ibge.htm>.

[4] BBC Brasil, "Por que o real é a moeda que mais perdeu em relação ao dólar em 2020", 06/03/20, <https://www.bbc.com/portuguese/brasil-51762853>.

[5] Veja, "Guedes pede conciliação para enfrentar tempestade perfeita", 18/03/20, <https://veja.abril.com.br/economia/guedes-pede-conciliacao-para-enfrentar-tempestade-perfeita/>.

[6] Gazeta do Povo, "Para Bolsonaro, coronavírus é 'muito mais fantasia' que a mídia propaga", 10/03/20, <https://www.gazetadopovo.com.br/republica/breves/bolsonaro-coronavirus-pequena-crise-e-muito-mais-fantasia/>.

[7] UOL, "Bolsonaro volta a se referir ao coronavírus como gripezinha, critica governadores e gera reação", 24/03/20, <https://economia.uol.com.br/noticias/reuters/2020/03/24/bolsonaro-volta-a-se-referir-ao-coronavirus-como-gripezinha-e-criticar-governadores-por-restricoes.htm>.

[8] Jovem Pan, "Bolsonaro: 'O que alguns poucos governadores estão fazendo é um crime'", 25/03/20, <https://jovempan.com.br/noticias/brasil/jair-bolsonaro-governadores-coronavirus-critica.html>.

[9] Correio Braziliense, "'Pânico é uma doença mais grave que o próprio vírus', diz Bolsonaro", 23/03/20, <https://www.correiobraziliense.com.br/app/noticia/politica/2020/03/23/interna_politica,836095/panico-e-uma-doenca-mais-grave-que-o-proprio-virus-diz-bolsonaro.shtml>.

[10] Veja, "A cabeça de Bolsonaro", 22/08/18, <https://veja.abril.com.br/revista-veja/a-cabeca-de-bolsonaro/>.

[11] Piauí, "O fiador", 09/18, <https://piaui.folha.uol.com.br/materia/o-fiador/>.

[12] Exame, "Um modelo que fracassou", 08/11/13, <https://exame.abril.com.br/revista-exame/um-modelo-que-fracassou/>.

[13] Folha de S. Paulo, "Justiça impede governo de veicular campanha contra isolamento social", 28/03/20, <https://www1.folha.uol.com.br/poder/2020/03/justica-impede-governo-de-veicular-campanha-contra-isolamento-social.shtml>.

[14] El País, "Trump invoca uma lei da Guerra da Coreia para obrigar a General Motors a fabricar respiradores", 28/03/20, <https://brasil.elpais.com/economia/2020-03-28/trump-invoca-uma-lei-da-guerra-da-coreia-para-obrigar-a-general-motors-a-fabricar-respiradores.html>.

[15] O Globo, "'Houve um erro na redação', diz Guedes sobre MP 927, que permite suspensão de salários por 4 meses", 23/03/20, <https://oglobo.globo.com/economia/houve-um-erro-na-redacao-diz-guedes-sobre-mp-927-que-permite-suspensao-de-salarios-por-4-meses-24323214>.

[16] G1, "Medidas bilionárias anunciadas pelo governo ainda são tímidas em relação a outros países, avaliam economistas", 27/03/20, <https://g1.globo.com/economia/noticia/2020/03/27/medidas-bilionarias-anunciadas-pelo-governo-ainda-sao-timidas-em-relacao-a-outros-paises-avaliam-economistas.ghtml>.

[17] John Cortines e Gregory Baumer, *Deus e o dinheiro: Como descobrimos a verdadeira riqueza na Harvard Business School* (São Paulo: Mundo Cristão, 2019), p. 26.

[18] Louis-Joseph Lebret, *Suicídio ou sobrevivência do Ocidente? Problemas fundamentais da nossa civilização* (São Paulo: Duas Cidades, 1964), p. 267.

[19] Folha de S. Paulo, "Menos desiguais", 19/02/12, <https://www1.folha.uol.com.br/fsp/opiniao/26655-menos-desiguais.shtml>.

[20] Exame, "Solução para crise é transformar pobres em consumidores, diz Lula", 14/10/11, <https://exame.abril.com.br/economia/solucao-para-crise-e-transformar-pobres-em-consumidores-diz-lula/>.

[21] Agência Brasil, "Crédito bancário tem crescimento recorde nos oito anos do governo Lula", 27/12/10, <https://memoria.ebc.com.br/agenciabrasil/noticia/2010-12-27/credito-bancario-tem-crescimento-recorde-nos-oito-anos-do-governo-lula>.

[22] Canal Vídeos Evangélicos, "Pastor Marco Feliciano, Prosperidade", 27/04/08, <https://www.youtube.com/watch?v=0AiwafSyNk8>.

[23] Época, "Evangélicos neopentecostais são os mais satisfeitos com o governo", 08/07/19, <https://epoca.globo.com/brasil/evangelicos-neopentecostais-sao-os-mais-satisfeitos-com-governo-23792398>.

[24] John Stott, *A mensagem do Sermão do Monte: Contracultura cristã*, 3ª ed. (São Paulo: ABU Editora, 2001), p. 164.

Capítulo 10

[1] Exame, "22 países europeus ainda exigem esterilização de transgêneros", 03/09/17, <https://exame.abril.com.br/mundo/22-paises-europeus-ainda-exigem-esterilizacao-de-transgeneros/>.

[2] United States Holocaust Memorial Museum, "Documentando o número de vítimas do Holocausto e da perseguição nazista", <https://encyclopedia.ushmm.org/content/pt-br/article/documenting-numbers-of-victims-of-the-holocaust-and-nazi-persecution>.
[3] CNN, "California forced sterilizations", 15/03/12, <https://edition.cnn.com/2012/03/15/health/california-forced-sterilizations/index.html>.
[4] Pietra S. Diwan, *Raça pura: Uma história da eugenia no Brasil e no mundo* (São Paulo: Contexto, 2007), p. 131.
[5] Diwan, *O espetáculo do feio: Práticas Discursivas e redes de poder no eugenismo de Renato Kehl (1917–1937)*, dissertação de mestrado, PUC-SP, 2003.
[6] "A Didaquê", cap. 5, in *Pais apostólicos* (São Paulo: Mundo Cristão, 2017), p. 126.
[7] Portal Paulo Lopes, "Ajudar pobre é desvio, diz R. R. Soares", 26/07/12, <https://www.paulopes.com.br/2012/07/ajudar-pobre-e-desvio-diz-rr-soares.html>.
[8] Perfil oficial de Edir Macedo no Facebook, 13/08/14, <https://www.facebook.com/BispoMacedo/photos/a.10150475631065108.369252.93132820107/10152292701525108/?type=1>.
[9] Folha de S. Paulo, "Brasil é o maior país pentecostal", 29/01/07, <https://www1.folha.uol.com.br/fsp/brasil/fc2901200708.htm>.
[10] IBGE, Censo 2010, <https://censo2010.ibge.gov.br/noticias-censo?id=3&idnoticia=2170&view=noticia>.
[11] Jornal da USP, "Religião pentecostal influencia mais pobres a voto por 'moral' e minimiza políticas sociais. 25/03/20, <https://jornal.usp.br/ciencias/ciencias-humanas/religiao-pentecostal-influencia-mais-pobres-a-voto-por-moral-e-minimiza-politicas-sociais/>.
[12] Veja, "Vinde a mim os eleitores: a força da bancada evangélica no Congresso", 23/03/13, <https://veja.abril.com.br/politica/vinde-a-mim-os-eleitores-a-forca-da-bancada-evangelica-no-congresso/>.
[13] Carlos Bezerra Jr., *Fé cidadã: Quando a espiritualidade e a política se encontram* (São Paulo: Mundo Cristão, 2018), p. 80.
[14] Clayborne Carson, *A autobiografia de Martin Luther King* (Rio de Janeiro: Zahar, 2014), edição eletrônica.
[15] Idem.
[16] Declaração Universal dos Direitos Humanos, <https://nacoesunidas.org/direitoshumanos/declaracao/>.
[17] John Stott, *Os cristãos e os desafios contemporâneos* (Viçosa, MG: Ultimato, 2014), p. 208.
[18] Congresso em Foco, "Em meio à polêmica do Enem, Bolsonaro chama direitos humanos de 'esterco da vagabundagem'", 05/09/17, <https://

congressoemfoco.uol.com.br/especial/noticias/direitos-humanos-e-%E2%80%9Cesterco-da-vagabundagem%E2%80%9D-diz-bolsonaro/>.

[19] Agência Brasil, "Bolsonaro e Haddad têm propostas antagônicas para direitos humanos", 19/10/18, <https://agenciabrasil.ebc.com.br/politica/noticia/2018-10/bolsonaro-e-haddad-tem-propostas-antagonicas-para-direitos-humanos>.

[20] Estado de Minas, "Damares: governo tem feito 'releitura' de direitos humanos", 22/07/20, <https://www.em.com.br/app/noticia/politica/2019/07/22/interna_politica,1071560/damares-governo-tem-feito-releitura-de-direitos-humanos.shtml>.

[21] Missão SAL, <www.missaosal.org.br>.

[22] Missão CENA, http://missaocena.com.br/>.

[23] Transforma Brasil, <https://transformabrasil.com.br/>.

[24] HAJA, <www.haja.org.br>.

[25] SP Invisível, <https://spinvisivel.org/>.

[26] Financial Times, "Women of 2014: Marina Silva, presidential candidate", 12/12/14, <https://www.ft.com/content/57610270-7f9c-11e4-adff-00144feabdc0#axzz3LnyrLN1v>.

[27] Rio de Paz, http://riodepaz.org/.

[28] Impacto, "O segundo maior mandamento", nº 79, inverno de 2014, <https://www.revistaimpacto.com.br/biblioteca/o-segundo-maior-mandamento/>.

[29] Exame, "Rio de Paz critica pronunciamento de Dilma", 22/06/13, <https://exame.abril.com.br/brasil/rio-de-paz-critica-pronunciamento-de-dilma/>.

[30] O Globo, "Militares do Exército dão 80 tiros em carro e matam músico na Zona Norte", 07/04/19, <https://oglobo.globo.com/rio/militares-do-exercito-dao-80-tiros-em-carro-matam-musico-na-zona-norte-23580901>.

[31] G1, "Morre catador de lixo baleado ao tentar ajudar família que foi alvo de 80 tiros do Exército no Rio", 18/04/19, <https://g1.globo.com/rj/rio-de-janeiro/noticia/2019/04/18/morre-catador-atingido-por-tiros-em-acao-do-exercito-em-guadalupe-no-rio.ghtml>.

[32] Folha de S. Paulo, "Juri condena policiais acusados de participar de chacina em Osasco", 22/09/17, <https://www1.folha.uol.com.br/cotidiano/2017/09/1920902-juri-condena-policiais-acusados-de-participar-de-chacina-em-osasco.shtml>.

[33] Folha de S. Paulo, "Há 25 anos massacre do Carandiru resultou na morte de 111 detentos", 02/10/17, <https://www1.folha.uol.com.br/banco-de-dados/2017/10/1923603-ha-25-anos-massacre-do-carandiru-resultou-na-morte-de-111-detentos.shtml>.

Capítulo 11

[1] Vídeo no perfil do Facebook Leonardo Bolsonéas, 03/04/20, <https://www.facebook.com/watch/live/?v=1062873887418369&ref=watch_permalink>.
[2] Jovem Pan, "Os Pingos nos Is", 02/04/20, <https://jovempan.com.br/podcasts/programas/os-pingos-nos-is/os-pingos-nos-is-edicao-completa-2-4-2020.html>.
[3] Canal Silas Malafaia Oficial, "Convocação de jejum feita por Bolsonaro a favor do Brasil", 02/04/20, <https://www.youtube.com/watch?v=J4CN6AaEb4Q>.
[4] Tuíte no perfil de Marco Feliciano, 03/04/20, <https://twitter.com/marcofeliciano/status/1246095427264491520>.
[5] Tuíte no perfil de Guilherme de Carvalho, 03/04/20, <https://twitter.com/guilhermevrc/status/1246050800515854338>.
[6] Rede Brasil Atual, "Pastores criticam jejum convocado por Bolsonaro contra a covid-19", 04/04/20, <https://www.redebrasilatual.com.br/politica/2020/04/pastores-criticam-jejum-convocado-por-bolsonaro-contra-a-covid-19/>.
[7] Tuíte no perfil de Antônio Carlos Costa, 03/04/20, <https://twitter.com/antonioccosta_/status/1246079441727557633>.
[8] Zero Hora, "Decreto municipal institui reza por sete dias contra o coronavírus em Sarandi", 09/04/20, <https://gauchazh.clicrbs.com.br/saude/noticia/2020/04/decreto-municipal-institui-reza-por-sete-dias-contra-o-coronavirus-em-sarandi-ck8t56fp001g701qwoaj8clqh.html>.
[9] Blog de Sérgio Rodrigues, Veja, "Religião vem de 'reler' ou 'religar'?", 18/02/17, <https://veja.abril.com.br/blog/sobre-palavras/religiao-vem-de-reler-ou-religar/>.
[10] David F. Payne, "Isaías", in F. F. Bruce (ed.), *Comentário Bíblico NVI: Antigo Testamento e Novo Testamento* (São Paulo: Vida, 2009), p. 998.
[11] Peter Hitchens, *The Rage Against God: How Atheism Led Me to Faith* (Grand Rapids, MI: Zondervan, 2006), p. 66.
[12] Eric Metaxas, *Bonhoeffer: Pastor, mártir, profeta, espião* (São Paulo: Mundo Cristão, 2011), p. 502-203.
[13] Folha de S. Paulo, "Cara típica do evangélico brasileiro é feminina e negra, aponta Datafolha", 13/01/20, <https://www1.folha.uol.com.br/poder/2020/01/cara-tipica-do-evangelico-brasileiro-e-feminina-e-negra-aponta-datafolha.shtml>.
[14] UOL, "Com Carlos no Planalto, Bolsonaro abandona entrevistas e apela a religiosos", 16/04/2020, <https://noticias.uol.com.br/politica/

ultimas-noticias/2020/04/16/com-carlos-no-planalto-bolsonaro-abandona-entrevistas-e-apela-a-religiosos.htm>.
[15] The New York Times, "Obama's Speech on Faith and Politics", 28/06/06, <https://www.nytimes.com/2006/06/28/us/politics/2006obamaspeech.html>.

Capítulo 12
[1] Cecil M. Robeck Jr., *The Azuza Street Mission and Revival: The Birth of Global Pentecostal Movement*, (Nashville, TN: Thomas Nelson, 2006), p. 125-126.
[2] Gedeon Alencar, *Assembleias de Deus: Origem, implantação e militância (1911–1946)* (São Paulo: Arte Editorial, 2010), p. 74.
[3] Idem, p. 47
[4] As primeiras críticas ao neopentecostalismo vieram justamente de líderes pentecostais como Paulo Romeiro, com os livros *SuperCrentes: O evangelho segundo Kenneth Hagin, Vanice Milhomens e os profetas da prosperidade* (São Paulo: Mundo Cristão, 1995) e *Evangélicos em crise: Decadência doutrinária na igreja brasileira* (São Paulo: Mundo Cristão, 1997); Ricardo Gondim, com *O evangelho da Nova Era: Uma análise e refutação bíblica da chamada Teologia da Prosperidade* (São Paulo: Abba, 1994) e Paulo César Lima, com *Quebra de maldição: Uma prática supersticiosa?* (Rio de Janeiro: CPAD, 1999).
[5] Edir Macedo, *Orixás, caboclos e guias: Deuses ou demônios?* (Rio de Janeiro: Unipro, 1997), p. 138.
[6] Ricardo Bitun, "Transformações do campo religioso pentecostal brasileiro: A antecipação da parúsia cristã", *Ciências da Religião, História e Sociedade*, vol 6, n° 2, 2008, p. 17-19.
[7] Macedo, *Orixás, caboclos e guias*, p. 71, 89.
[8] HuffPost, "C. Peter Wagner: Dominion Theology and Postmillennialism on NPR", 07/12/11, <https://www.huffpost.com/entry/c-peter-wagner-dominion-theology-and-postmillennialism-on-npr_b_996000>.
[9] Right Wing Watcher, "Cindy Jacobs Claims She Unknowingly Propgesied Trump's Election", 25/10/17, <https://www.rightwingwatch.org/post/cindy-jacobs-claims-she-unknowingly-prophesied-trumps-election/>.
[10] Canal Rede Revival, "PROFECIA: 'Abalarei o principado da corrupção no Brasil' – Cindy Jacobs", 10/04/13, <https://www.youtube.com/watch?v=GgnRFX70Ubg>.
[11] Right Wing Watcher, "Cindy Jacobs Claims She Unknowingly Propgesied Trump's Election", 25/10/17, <https://www.rightwingwatch.org/post/cindy-jacobs-claims-she-unknowingly-prophesied-trumps-election/>.

[12] El País, "A guia espiritual com a missão de reaproximar Trump dos evangélicos", 04/09/19, <https://brasil.elpais.com/brasil/2019/11/03/internacional/1572806433_452486.html>.

[13] BBC Brasil, "O que explica a mudança de tom de Trump sobre o coronavírus", 13/03/20, <https://www.bbc.com/portuguese/internacional-51865313>.

[14] Michael Stone, "Christian Prophet Cindy Jacobs Declares Coronavirus 'Illegal' Because Jesus", Patheos, 06/03/20, <https://www.patheos.com/blogs/progressivesecularhumanist/2020/03/christian-prophet-cindy-jacobs-declares-coronavirus-illegal-because-jesus/>.

[15] Gospel Prime, "Cindy Jacobs dá nova palavra ao Brasil: 'virão tempos de prosperidade física e espiritual'", 25/10/18, <https://www.gospelprime.com.br/cindy-jacobs-palavra-brasil-prosperidade-fisica-espiritual/>.

[16] Washington Post, "Exit Polls Show White Evangelicals Voted Overwhelmingly for Donald Trump", 09/11/16, Washington Post, <https://www.washingtonpost.com/news/acts-of-faith/wp/2016/11/09/exit-polls-show-white-evangelicals-voted-overwhelmingly-for-donald-trump/>.

[17] G1, "'Estado é laico, mas esta ministra é terrivelmente cristã', diz Damares ao assumir direitos humanos", 02/01/19, <https://g1.globo.com/politica/noticia/2019/01/02/estado-e-laico-mas-esta-ministra-e-terrivelmente-crista-diz-damares-ao-assumir-direitos-humanos.ghtml>.

[18] Folha de S. Paulo, "Bolsonaro diz que indicará para vaga no STF ministro 'terrivelmente evangélico'", 10/07/19, <https://www1.folha.uol.com.br/poder/2019/07/bolsonaro-diz-que-indicara-para-vaga-no-stf-ministro-terrivelmente-evangelico.shtml>.

[19] BBC Brasil, "Bolsonaro em Israel: Por que evangélicos pressionam pela mudança da embaixada de Tel Aviv para Israel", 01/04/19, <https://www.bbc.com/portuguese/brasil-47776408>.

[20] Media Owership Monitor Brasil, "Participação religiosa na mídia brasileira", 10/17, <http://brazil.mom-rsf.org/br/destaques/participacao-religiosa-na-midia/>.

[21] Alexandre Brasil Fonseca, "Foram os evangélicos que elegeram Bolsonaro?", IHU, 07/11/18, <http://www.ihu.unisinos.br/188-noticias/noticias-2018/584446-foram-os-evangelicos-que-elegeram-bolsonaro>.

[22] Le Monde Diplomatique Brasil, "Evangélicos e a ascensão da extrema-direita no Brasil", 13/05/19, <https://diplomatique.org.br/evangelicos-e-a-ascensao-da-extrema-direita-no-brasil/>.

[23] Edir Macedo e Carlos Oliveira, *Plano de poder: Deus, os cristãos e a política* (Rio de Janeiro: Thomas Nelson Brasil, 2008), p. 12.

[24] Eugene Peterson, "Introdução a Reis", *Bíblia A Mensagem* (São Paulo: Editora Vida, 2011), p. 483.
[25] Jacques Ellul, *Políticas de Deus e políticas dos homens* (São Paulo: Fonte Editorial, 2006), p. 140.
[26] Idem, p 140.

Capítulo 13
[1] G1, "Debate entre os candidatos à Presidência da República — 2º Turno", 24/10/14, http://g1.globo.com/politica/eleicoes/2014/videos/v/debate-entre-os-candidatos-a-presidencia-da-republica-segundo-turno/3719817/.
[2] Buzzfeed Brasil, "Veja diálogos em que Aécio trama anistia ao caixa 2 e obstrução à Lava Jato com Joesley, 18/05/17, <https://www.buzzfeed.com/br/filipecoutinho/conversa-aecio-joesley>.
[3] G1, "Aécio Neves vira réu na Justiça Federal de SP por corrupção e tentativa de obstrução à Lava Jato", 05/07/19, <https://g1.globo.com/sp/sao-paulo/noticia/2019/07/05/aecio-neves-vira-reu-na-justica-federal-de-sp-por-corrupcao-e-tentativa-de-obstrucao-a-lava-jato.ghtml>.
[4] Folha de S. Paulo, "Pela 1ª vez corrupção é vista como maior problema do país", 29/11/15, <https://www1.folha.uol.com.br/poder/2015/11/1712475-pela-1-vez-corrupcao-e-vista-como-maior-problema-do-pais.shtml>.
[5] G1, "Governo Dilma tem aprovação de 9% e reprovação de 70%, diz Ibope", 30/03/16, <http://g1.globo.com/politica/noticia/2015/12/governo-dilma-tem-aprovacao-de-9-e-reprovacao-de-70-diz-ibope.html>.
[6] Câmara dos Deputados, "Câmara tem 243 deputados novos e renovação de 47,3%", 08/10/18, <https://www.camara.leg.br/noticias/545896-camara-tem-243-deputados-novos-e-renovacao-de-473/>.
[7] Folha de S. Paulo, "Não há doações para campanhas, só empréstimos a juros altos, diz Costa", 09/03/15, <https://www1.folha.uol.com.br/poder/2015/03/1600254-nao-ha-doacoes-para-campanhas-so-emprestimos-a-juros-altos-diz-paulo-roberto-costa.shtml>.
[8] Steven Levitsky e Daniel Ziblatt, *Como as democracias morrem* (Rio de Janeiro: Zahar, 2018).
[9] Canal Fundação FHC, "Como morrem as democracias? Por Steven Levitsky", 08/08/18, <https://www.youtube.com/watch?v=8bX7EdK0-1M>.
[10] Portal Tancredo Neves, discurso preparado para a posse, 03/85, <http://www.tancredo-neves.org.br/index.php?option=com_content&view=article&id=78:presidente-da-republica-brasilia-marco-de-1985&catid=42:discursos&Itemid=125>.

[11] Veja, "Um tiro na corrupção", 07/08/1985.
[12] Folha de S. Paulo, "Conheça dez histórias de corrupção durante a ditadura militar", 01/04/15, <https://noticias.uol.com.br/politica/ultimas-noticias/2015/04/01/conheca-dez-historias-de-corrupcao-durante-a-ditadura-militar.htm>.
[13] Elio Gaspari, *A ditadura encurralada* (São Paulo: Companhia das Letras, 2004), p. 106-107
[14] Roda Viva, "Roda Viva | Jair Bolsonaro", 30/07/18, <https://www.youtube.com/watch?v=lDL59dkeTi0>.
[15] Blog Família Bolsonaro, "Joaquim Barbosa cita Bolsonaro no Mensalão", 20/09/12, <http://familiabolsonaro.blogspot.com/2012/09/joaquim-barbosa-cita-bolsonaro-no.html>.
[16] Tuíte no perfil de Joaquim Barbosa, 27/10/18, <https://twitter.com/joaquimboficial/status/1056179596784254976>.
[17] Estadão, "Anônimo e poderoso, assim é o baixo clero", 16/02/05.
[18] Jovem Pan, "Ao explicar R$ 200 mil da JBS, Bolsonaro admite que PP recebeu propina: 'qual partido não recebe?'", 23/05/17, <https://jovempan.com.br/programas/ao-explicar-r-200-mil-da-jbs-bolsonaro-admite-que-pp-recebeu-propina-qual-partido-nao-recebe.html>.
[19] Folha de S. Paulo, "Veja entrevista de Bolsonaro à Folha sobre patrimônio e auxílio-moradia", 13/01/18, <https://m.folha.uol.com.br/poder/2018/01/1950202-veja-trechos-da-entrevista-de-bolsonaro-a-folha-em-angra-dos-reis.shtml>.
[20] Exame, "Jair Bolsonaro empregava cinco funcionárias que nunca foram ao Congresso", 29/04/19, <https://exame.abril.com.br/brasil/jair-bolsonaro-empregava-cinco-funcionarias-que-nunca-foram-ao-congresso/>.
[21] Folha de S. Paulo, "Moro foi sondado por Bolsonaro ainda durante a campanha, diz Mourão", 01/11/18, <https://www1.folha.uol.com.br/poder/2018/11/moro-foi-sondado-por-bolsonaro-ainda-durante-a-campanha-diz-mourao.shtml>.
[22] G1, "Íntegra: nota de Sergio Moro ao aceitar convite para ser ministro da Justiça de Bolsonaro", 01/11/18, <https://g1.globo.com/politica/noticia/2018/11/01/integra-nota-de-sergio-moro-ao-aceitar-convite-para-ser-ministro-da-justica-de-bolsonaro.ghtml>.
[23] G1, "Decreto de armas foi 'elaborado principalmente no Planalto', diz Moro ao STF", 27/05/19, <https://g1.globo.com/politica/noticia/2019/05/27/moro-diz-ao-stf-que-decreto-de-armas-foi-elaborado-principalmente-no-planalto.ghtml>.

[24] UOL, "Do Coaf aos áudios de Queiroz: a investigação do ex-assessor de Flávio Bolsonaro", 28/10/19, <https://noticias.uol.com.br/ultimas-noticias/bbc/2019/10/28/do-coaf-aos-audios-de-queiroz-a-investigacao-do-ex-assessor-de-flavio-bolsonaro.htm>.

[25] UOL, "Leia íntegra do anúncio de demissão de Sergio Moro do Ministério da Justiça", 24/04/20, <https://noticias.uol.com.br/politica/ultimas-noticias/2020/04/24/leia-integra-do-anuncio-de-demissao-de-sergio-moro-do-ministerio-da-justica.htm>.

[26] Folha de S. Paulo, "'E daí?', diz Bolsonaro sobre indicação d de amigo de filho para comandar PF", 26/04/20, <https://www1.folha.uol.com.br/poder/2020/04/e-dai-diz-bolsonaro-sobre-indicacao-de-amigo-de-filho-para-comandar-pf.shtml>.

[27] Folha de S. Paulo, "PF identifica Carlos Bolsonaro como articulador em esquema criminoso de fake news", 25/04/20, <https://www1.folha.uol.com.br/poder/2020/04/pf-identifica-carlos-bolsonaro-como-articulador-em-esquema-criminoso-de-fake-news.shtml>.

[28] Portal do STF, "Ministro Alexandre de Moraes suspende nomeação de Alexandre Ramagem para o comando da PF", 29/04/20, <https://portal.stf.jus.br/noticias/verNoticiaDetalhe.asp?idConteudo=442298&ori=1>.

[29] BBC Brasil, "Brasil cai pelo 5º ano seguido no 'Ranking da Corrupção' e está empatado com Albânia e Egito', 23/01/20, <https://www.bbc.com/portuguese/internacional-51216388>.

[30] Canal Fundação FHC, "Como morrem as democracias? Por Steven Levitsky", 08/08/18, <https://www.youtube.com/watch?v=8bX7EdK0-1M>.

Capítulo 14

[1] Correio Braziliense, "Bolsonaro quer recorrer da decisão contra Ramagem: 'Quem manda sou eu'", 29/04/20, <https://www.correiobraziliense.com.br/app/noticia/politica/2020/04/29/interna_politica,849779/bolsonaro-quer-recorrer-de-decisao-contra-ramagem-quem-manda-sou-eu.shtml>.

[2] Canal UOL, "Bolsonaro dá posse a André Mendonça, novo ministro da Justiça e Segurança Pública", 29/04/20, <https://www.youtube.com/watch?v=-DUp-ldQJMM>.

[3] Dados Abertos, <dadosabertos.camara.leg.br>.

[4] Rede Brasil Atual, "Em 27 anos como deputado, Bolsonaro tem dois projetos aprovados", 06/05/18, <https://www.redebrasilatual.com.br/politica/2018/05/em-27-anos-como-deputado-bolsonaro-tem-dois-projetos-aprovados/>.

[5] John Barton, *Oracles of God: Perceptions of Ancient Prophecy in Israel after the Exile* (Londres: Darton, Longman and Todd, 1986), p. 261.
[6] Walter Brueggemann, *Teologia do Antigo Testamento: Testemunho, disputa e defesa* (São Paulo: Paulus/Academia Cristã, 2014), p. 818.
[7] Canal Fundação FHC, "Como as democracias morrem? Por Steven Levistky", 09/10/18, <https://www.youtube.com/watch?v=8bX7EdK0-1M>.
[8] Canal Mídia Ninja, "Lula é uma reforma moral da nação brasileira", 14/10/19, <https://www.youtube.com/watch?v=JgJO-zM4j30>.
[9] Canal Mídia Ninja, "Pastor Henrique Vieira emociona a todos no comício de Fernando Haddad", 23/10/18, <https://www.youtube.com/watch?v=-FsboDCBXJ0>.
[10] Rede Brasil Atual, "Frente de evangélicos publica manifesto contra a candidatura de Bolsonaro", 29/09/18, <https://www.redebrasilatual.com.br/politica/2018/09/frente-de-evangelicos-publica-manifesto-contra-a-candidatura-de-bolsonaro/>.
[11] Coalizão pelo Evangelho, "Eleições 2018: Carta aberta à igreja brasileira", 10/09/18, <https://coalizaopeloevangelho.org/article/eleicoes-2018-carta-aberta-igreja-brasileira/>.
[12] Extra, "Bolsonaro revela que já conversa com pastor Silas Malafaia sobre apoio em 2018", 03/01/17, <https://extra.globo.com/noticias/brasil/bolsonaro-revela-que-ja-conversa-com-pastor-silas-malafaia-sobre-apoio-em-2018-20721954.html>.
[13] UOL, "Contra 'ideologia de gênero', R. R. Soares declara apoio a Jair Bolsonaro", 06/10/18, <https://noticias.uol.com.br/politica/eleicoes/2018/noticias/2018/10/06/contra-ideologia-de-genero-rr-soares-declara-apoio-a-bolsonaro.htm>.
[14] Estadão, "Edir Macedo declara apoio a Jair Bolsonaro", 30/09/18, <https://politica.estadao.com.br/noticias/eleicoes,edir-macedo-declara-apoio-a-bolsonaro,70002526353>.
[15] Gospel Prime, "Valdemiro Santiago pede voto de nordestinos para Bolsonaro", 11/10/18, <https://overbo.news/valdemiro-santiago-pede-voto-de-nordestinos-para-bolsonaro/amp/>.
[16] Canal Folha Política, "Cantora Ana Paula Valadão declara apoio a Bolsonaro e faz alerta sobre o PT de Haddad", 28/09/18, <https://www.youtube.com/watch?v=AikV632C_Tw>.
[17] Vídeo na página do Facebook SomostodosBolsonaro, "Pastor André Valadão declara apoio a Jair Bolsonaro", 28/08/18, <https://www.facebook.com/watch/?v=752406628424292>.
[18] UOL, "Padre Fábio de Melo não gravou áudio favorável a Bolsonaro", 03/10/18, <https://noticias.uol.com.br/comprova/ultimas-noticias/

2018/10/03/padre-fabio-de-melo-nao-gravou-audio-favoravel-a-bolsonaro.htm>.

[19] Pleno News, "Claudio Duarte declara voto: 'Melhor Jair se acostumando'", 30/09/18, <https://pleno.news/brasil/eleicoes-2018/claudio-duarte-declara-voto-melhor-jair-se-acostumando.html>.

[20] Blog do Thomaz, "Nas redes, Carlito Paes declara voto em Jair Bolsonaro e detona PT", 17/10/18, <https://thomazhbarbosa.wordpress.com/2018/10/18/nas-redes-carlito-paes-declara-voto-em-jair-bolsonaro-e-detona-pt/>.

[21] Gospel +, "Renê Terra Nova comanda gesto pró-Bolsonaro no Jordão e termina criticado por 'sacrilégio'", 28/09/18, <https://noticias.gospelmais.com.br/rene-terra-nova-criticas-gesto-bolsonaro-102946.html>.

[22] TSE, "Lei das eleições – Lei nº 9.504 de 30 de setembro de 1997", <http://www.tse.jus.br/legislacao/codigo-eleitoral/lei-das-eleicoes/lei-das-eleicoes-lei-nb0-9.504-de-30-de-setembro-de-1997>.

[23] Agência Brasil, "Justiça do Rio quer combater abuso do poder religioso nas eleições", 14/09/18, <https://agenciabrasil.ebc.com.br/geral/noticia/2018-09/justica-do-rio-quer-combater-abuso-do-poder-religioso-nas-eleicoes>.

[24] Exame, "Justiça recebeu 228 denúncias de propaganda religiosa irregular na eleição", 15/06/19, <https://exame.com/brasil/justica-recebeu-228-denuncias-de-propaganda-religiosa-irregular-na-eleicao/>.

[25] Jornalistas Livres, "Na igreja Bola de Neve, Profeta Kevin previu que Roberto Alvim comandaria a Nação", 20/01/20, <https://jornalistaslivres.org/na-igreja-bola-de-neve-profeta-kevin-previu-que-roberto-alvim-comandaria-a-nacao/>.

[26] G1, "'E daí? Lamento. Quer que eu faça o quê?', diz Bolsonaro sobre mortes por coronavírus; 'Sou Messias, mas não faço milagre'", 28/04/20, <https://g1.globo.com/politica/noticia/2020/04/28/e-dai-lamento-quer-que-eu-faca-o-que-diz-bolsonaro-sobre-mortes-por-coronavirus-no-brasil.ghtml>.

[27] Financial Times, "Bruised Brazilian Real could be set for further falls", 19/05/20, <https://www.ft.com/content/98d57ed7-617f-4a65-bdbd-3616d4ba273c>.

[28] Estadão, "Risco país e dólar disparam, e Brasil vira economia mais arriscada para investidor", 14/05/20, <https://economia.estadao.com.br/noticias/geral,risco-pais-e-dolar-disparam-e-brasil-vira-economia-mais-arriscada-para-investidor,70003302269>.

[29] BBC, "Ministro da saúde pede demissão menos de um mês depois de assumir", 15/05/20, <https://www.bbc.com/portuguese/brasil-52683285>.

[30] UOL, "MP chama '300 do Brasil' de milícia armada e pede fim do acampamento", 13/05/20, <https://noticias.uol.com.br/politica/ultimas-noticias/2020/05/13/mp-chama-300-do-brasil-de-milicia-armada-e-pede-fim-de-acampamento.htm>.
[31] Folha de Pernambuco, "Líder de atos pró-Bolsonaro admite armas em movimento, mas apenas para proteção", 12/05/20, <https://www.folhape.com.br/politica/politica/politica/2020/05/12/NWS,140247,7,547,POLITICA,2193-LIDER-ATOS-PRO-BOLSONARO-ADMITE-ARMAS-MOVIMENTO-MAS-APENAS-PARA-PROTECAO.aspx>.
[32] BBC Brasil, "O que são os coletivos chavistas, 'defensores da revolução' que invadiram a Assembleia venezuelana", 07/07/17, <https://www.bbc.com/portuguese/internacional-40529625>.
[33] UOL, "'Pretendo beneficiar filho meu, sim', diz Bolsonaro sobre embaixada nos EUA", 18/07/19, <https://noticias.uol.com.br/politica/ultimas-noticias/2019/07/18/pretendo-beneficiar-um-filho-meu-sim-diz-bolsonaro-sobre-eduardo.htm>.
[34] UOL, "'Quero apenas uma superintendência, a do Rio', teria dito Bolsonaro a Moro", 05/05/20, <https://noticias.uol.com.br/colunas/rubens-valente/2020/05/05/quero-apenas-uma-superintendencia-a-do-rio-teria-dito-bolsonaro-a-moro.htm>.
[35] Canal Silas Malafaia Oficial, "Entrevista exclusiva com Jair Bolsonaro – Partes 1 e 2", 03/02/20, 10/02/, <https://www.youtube.com/watch?v=2lju58SIn_E>;< https://www.youtube.com/watch?v=t9sQNkUEmcU>..
[36] Ver BT Cast, "Monasticismo protestante", episódio 310, 01/10/19, <https://bibotalk.com/podcast/monasticismo-protestante/>.
[37] Richard Rohr, *From Wild Man to Wise Man: Reflections on Male Spirituality* (Cincinatti, OH: St. Anthony Messenger Press, 2011), edição eletrônica.
[38] Brueggemann, *Teologia do Antigo Testamento*, p. 833-834.

Capítulo 15
[1] O Globo, "Quando fé e política se aproximam", 19/12/99.
[2] O Globo, "Garotinho amplia espaço em redes de rádio e TV", 16/04/2006.
[3] Folha de S. Paulo, "Lula tenta ganhar voto de evangélicos", 28/09/02, <https://www1.folha.uol.com.br/folha/brasil/ult96u38663.shtml>.
[4] BBC Brasil, "Como a crise do coronavírus expõe racha entre evangélicos no Brasil", 28/04/20, <https://www.bbc.com/portuguese/brasil-52313890>.
[5] Paul Freston, *Religião e Política, sim, Igreja e Estado, não: Os evangélicos e a participação política* (Viçosa, MG: Ultimato, 2006), p. 115-116.

⁶ Época, "Como a expansão de uma facção de traficantes evangélicos faz explodir ataques a outras religiões em favelas do Rio", 11/10/19, <https://epoca.globo.com/rio/como-expansao-de-uma-faccao-de-traficantes-evangelicos-faz-explodir-ataques-outras-religioes-em-favelas-do-rio-24010426>.
⁷ Basil Atkinson, in F. Davidson (org.), *O Novo Comentário da Bíblia* (São Paulo: Vida Nova, 2018), p. 951.
⁸ DHNet, "Declaração de Princípios sobre a Tolerância", <http://www.dhnet.org.br/direitos/sip/onu/paz/dec95.htm>.
⁹ Stott, *A mensagem do Sermão do Monte*, p. 5.
¹⁰ Idem, p. 6.
¹¹ Canal Teologia Saudável, "John Piper Evangelho da prosperidade não é evangelho", 21/12/18, <https://www.youtube.com/watch?v=nrjwONlxxuI>.

Capítulo 16
¹ Veja, "Uma ideia que deu certo", 15/11/89.
² Estadão, "Eleição presidencial de 1989", 16/11/19, <https://www.estadao.com.br/infograficos/politica,eleicao-presidencial-de-1989,1060759>.
³ Dossiê GloboNews, Entrevista de Boni a Geneton Moraes Neto, 26/11/11.
⁴ Mário Sérgio Conti, *Notícias do Planalto: A imprensa e Fernando Collor* (São Paulo: Companhia das Letras, 1999), p. 267.
⁵ Veja, "Os dois Brasis", 01/11/89.
⁶ Folha de S. Paulo, "Lulinha paz e amor fugiu dos conflitos", 27/10/02, <https://www1.folha.uol.com.br/fsp/brasil/fc2710200223.htm>.
⁷ Folha de S. Paulo, "Duda diz que caixa 2 do PT pagou campanha", 12/08/05, <https://www1.folha.uol.com.br/fsp/brasil/fc1208200507.htm>.
⁸ Veja, "Bolsonaro usa camisa falsificada do Palmeiras em reunião sobre Previdência", 14/02/19, <https://veja.abril.com.br/blog/maquiavel/bolsonaro-usa-camisa-falsificada-do-palmeiras-em-reuniao-sobre-previdencia/>.
⁹ Ver Andrew Keen, *O culto do amador: Como blogs, MySpace, YouTube e a pirataria digital estão destruindo nossa economia, cultura e valores* (Rio de Janeiro: Zahar, 2009).
¹⁰ Veja, "Um 'detalhe' chamou a atenção na primeira coletiva de Jair Bolsonaro", 02/11/18, <https://vejasp.abril.com.br/blog/pop/um-detalhe-chamou-atencao-na-primeira-coletiva-de-jair-bolsonaro/>.
¹¹ GloboNews, entrevista de Andrew Keen a Jorge Pontual, programa Milênio, 24/08/09.

[12] Veja, "Os amigos do poder", 07/01/19, <https://veja.abril.com.br/blog/veja-gente/os-amigos-do-poder/>.

[13] Aos Fatos, "É falso que pesquisa indica tratamento com hidroxicloroquina como mais eficaz contra Covid-19", 21/05/20, <https://www.aosfatos.org/noticias/e-falso-que-pesquisa-indica-tratamento-com-hidroxicloroquina-como-o-mais-eficaz-contra-covid-19/>.

[14] BBC News, "Facebook's Zuckerberg defends actions on vírus misinformation", 21/05/20, <https://www.bbc.com/news/business-52750162>.

[15] Meio&Mensagem, "Eleição de Bolsonaro marca mudança no marketing político", 28/10/18, <https://www.meioemensagem.com.br/home/marketing/2018/10/28/eleicao-de-bolsonaro-marca-mudanca-no-marketing-politico.html>.

[16] Podcast NBW, "5minutosNBW — Os bastidores da preparação dos candidatos para um debate", 08/08/18, <https://podcastnbw.com/archives/podcast/5minutosnbw-os-bastidores-da-preparacao-dos-candidatos-para-um-debate-08-08-2018>.

[17] Rolling Stone, "False Idol—Why the Christian Right Worships Donald Trump", 02/12/19, <https://www.rollingstone.com/politics/politics-features/christian-right-worships-donald-trump-915381/>.

[18] Podcast NBW, "A saída do 'superministro' Sergio Moro do governo Bolsonaro", episódio 209, 26/04/20, <https://podcastnbw.com/archives/podcast/nbw-209-a-saida-do-super-ministro-sergio-moro-do-governo-bolsonaro>.

[19] Estadão, "Empresários bolsonaristas financiam ataques contra STF, revela inquérito", 11/03/20, <https://politica.estadao.com.br/noticias/geral,empresarios-bolsonaristas-financiam-ataques-contra-stf-revela-inquerito,70003228062>.

Sobre o autor

Ricardo Alexandre, jornalista com mais de 25 anos de experiência, atuou em alguns dos principais grupos de comunicação do país. Foi repórter e colunista de *O Estado de S. Paulo* e diretor de redação de revistas das editoras Abril e Globo. É também consultor e curador de eventos culturais, além de autor de cinco livros, entre os quais *Nem vem que não tem*, biografia do cantor Wilson Simonal que lhe rendeu em 2010 o prêmio Jabuti. Seu *site* oficial é <ricardoalexandre.jor.br>.

Compartilhe suas impressões de leitura,
mencionando o título da obra, pelo e-mail
opiniao-do-leitor@mundocristao.com.br
ou por nossas redes sociais

Esta obra foi composta com tipografia Palatino
e impressa em papel Pólen Soft 70 g/m² na gráfica Assahi